VENDRE PAR
TÉLÉPHONE

Les Éditions Transcontinental inc.
1100, boul. René-Lévesque Ouest
24ᵉ étage
Montréal (Québec) H3B 4X9
Tél. : (514) 392-9000
    1 800 361-5479
www.livres.transcontinental.ca

Les Éditions de la Fondation de l'entrepreneurship
160, 76ᵉ Rue Est
Bureau 250
Charlesbourg (Québec) G1H 7H6
Tél. : (418) 646-1994
    1 800 661-2160
www.entrepreneurship.qc.ca

La collection Entreprendre est une initiative conjointe de la Fondation de l'entrepreneurship et des Éditions Transcontinental visant à répondre aux besoins des futurs et des nouveaux entrepreneurs.

Distribution au Canada
Québec-Livres, 2185, Autoroute des Laurentides, Laval (Québec) H7S 1Z6
Tél.: (450) 687-1210 ou, sans frais, 1 800 251-1210

Données de catalogage avant publication (Canada)

Chiasson, Marc, 1949-
Vendre par téléphone
(Collection Entreprendre)
Comprend des réf. bibliogr.
Publié en collaboration avec la Fondation de l'entrepreneurship
ISBN 2-89472-206-0   (Transcontinental)
ISBN 2-89521-046-2   (Fondation)

1. Vente par téléphone. 2. Télémarketing. I. Fondation de l'entrepreneurship.
II. Titre. III. collection : Entreprendre (Montréal, Québec).

III5438.3.C442 2003   658.85   C2003-940126-X

Révision : Corinne De Vailly
Correction : Diane Thivierge
Mise en pages et conception graphique
de la couverture : Studio Andrée Robillard

La forme masculine non marquée désigne les femmes et les hommes.

Imprimé au Canada

© Les Éditions Transcontinental inc. et Les Éditions de la Fondation de l'entrepreneurship, 2003
Dépôt légal — 1ᵉʳ trimestre 2003
Bibliothèque nationale du Québec
Bibliothèque nationale du Canada
ISBN 2-89472-206-0 (Transcontinental)
ISBN 2-89521-046-2 (Fondation)

Nous reconnaissons, pour nos activités d'édition, l'aide financière du gouvernement du Canada, par l'entremise du Programme d'aide au développement de l'industrie de l'édition (PADIÉ), ainsi que celle du gouvernement du Québec (SODEC), par l'entremise du Programme d'aide aux entreprises du livre et de l'édition spécialisée.

MARC CHIASSON

VENDRE PAR TÉLÉPHONE

Présentez habilement
vos produits et services...
et décrochez un OK !

Les Éditions
TRANSCONTINENTAL inc.

LES ÉDITIONS DE LA FONDATION DE
l'entrepreneurship

FONDATION DE
l'entrepreneurship

La **Fondation de l'entrepreneurship** s'est donnée pour mission de promouvoir la culture entrepreneuriale, sous toutes ses formes d'expression, comme moyen privilégié pour assurer le plein développement économique et social de toutes les régions du Québec.

En plus de promouvoir la culture entrepreneuriale, elle assure un support à la création d'un environnement propice à son développement. Elle joue également un rôle de réseauteur auprès des principaux groupes d'intervenants et poursuit, en collaboration avec un grand nombre d'institutions et de chercheurs, un rôle de vigie sur les nouvelles tendances et les pratiques exemplaires en matière de sensibilisation, d'éducation et d'animation à l'entrepreneurship.

La Fondation de l'entrepreneurship s'acquitte de sa mission grâce à l'expertise et au soutien financier de plusieurs organisations. Elle rend un hommage particulier à ses **partenaires** :

ses **associés gouvernementaux** :

Ministère des Finances, de l'Économie et de la Recherche
Québec ✦✦

Régions
Québec ✦✦

Développement des ressources humaines   Human Resources Development
Canada

Développement économique Canada   Canada Economic Development
Canada

et remercie ses **gouverneurs** :

Emploi
Québec ✦✦

LE FONDS DE SOLIDARITÉ DES TRAVAILLEURS DU QUÉBEC (FTQ)

CLD DE QUÉBEC
Centre local de développement

Systèmes informatiques **calgah** Computer Systems

RÉSEAU DES FEMMES D'AFFAIRES DU QUÉBEC INC.

praxcim

CGI

Ville de Montréal

Raymond Chabot Grant Thornton

Remerciements

C e livre n'aurait pu voir le jour dans sa forme actuelle sans l'exceptionnelle collaboration de **Johanne Lacasse** (superviseure adjointe, responsable de la Qualité chez Gexel Télécom International), dont les critiques ont été intelligentes, fréquentes, pertinentes et à l'occasion insistantes! Je suis également redevable à **Aubert Paradis** (gérant régional, Stihl Limitée) qui malgré son horaire chargé a pris le temps de me fournir des suggestions pratiques et des avertissements pragmatiques, avec une franchise qui témoigne de son professionnalisme.

De plus, j'ai beaucoup appris auprès de **Serge Matte** (directeur général et directeur des ventes pour TVA-Télé-7) dont le sens des priorités est impressionnant. Un gros merci aussi à **Jacques Bérubé** (directeur, Bell interactif), qui m'a fourni l'inspiration pour écourter mon manuscrit du tiers, le rendant, comme il le dit, «*crisp!*».

Je remercie également les **superviseures de Télébec** à Val d'Or, pour leurs commentaires sur le soutien et la mobilisation dans le feu de l'action.

De plus, je remercie les **milliers d'étudiants et de participants** à mes ateliers et conférences depuis près de 20 ans ; ils se reconnaîtront dans les nombreux exemples, exercices et histoires vécues parsemés dans ce livre.

- - - - -

Je transmets des salutations personnelles à des gens qui m'ont aidé souvent sans le savoir :

• **Armand Paré**, qui a la gentillesse de m'encourager au téléphone quand je suis sur la route et la patience de m'endurer quand je suis chez lui.

• **Marie Brouillet et Christiane Martin**, collaboratrices de talent qui m'écoutent poliment quand je leur parle sans scénario et parfois sans fin !

• **Alain Samson**, auteur prolifique et conférencier subtil, grâce à qui je suis entré dans le cercle des conférenciers professionnels.

• **Marie-Josée Daoust, Nathalie Giguère, France Durocher** et **Carole Petit** (Bell), dont le style de gestion m'a encouragé à créer des liens pratiques entre les idées, les stratégies... et les gens concernés.

• **Vickie Leclerc** (Cesart), réceptionniste de talent et dont l'attitude m'a grandement impressionné.

• Les membres de l'**Association des secrétaires de l'Estrie** qui ont voulu pousser plus loin.

• **Mathieu Gagnon**, un jeune qui maîtrise mieux le téléphone que plusieurs gens d'affaires.

Marc Chiasson

Table des matières

Chapitre 5   165

Avant de commencer

Ce livre est le résultat de milliers d'heures de formation sur mesure, ainsi que d'innombrables sessions de stratégie et de *coaching*. Vous avez en main un livre qui colle à la réalité sur le terrain, un outil de travail, une « manière de voir et une façon de faire ».

Trois notions clés vous aideront à développer ou à améliorer les compétences énoncées dans ce livre.

1. La persuasion

Les échanges téléphoniques sont nettement et naturellement plus « corsés » par téléphone qu'en personne. Les techniques de présentation et d'offre sont ici plus actives que lors d'échanges face à face.

Ce livre propose des techniques d'influence et de persuasion qui aident ouvertement le client à bien réfléchir et à prendre une décision se basant à la fois sur des informations véridiques et sur une interrelation respectueuse. Je déconseille fortement le recours à des techniques de manipulation. Les lecteurs peuvent, s'ils le veulent, passer outre aux notions d'éthique. Cependant, ils doivent savoir que les techniques de manipulation suscitent trop la méfiance, les contre-attaques, les plaintes et les recours judiciaires.

2. La responsabilisation

L'ensemble des techniques mises de l'avant dans ce livre repose sur la notion de responsabilité mutuelle : celle de l'appelant et celle du répondant.

Non seulement le représentant a la responsabilité de demeurer calme et centré sur la tâche, mais il doit aussi aider son interlocuteur à écouter, à réfléchir et à répondre franchement.

3. La stratégie

Les centaines de techniques et trucs proposés dans ce livre donneront de bons résultats dans la mesure où le lecteur aura établi une stratégie de base. On définit ici le mot stratégie comme l'organisation générale des idées, paroles et arguments. Il ne suffit donc pas de savoir où on veut se rendre (but) ; encore faut-il avoir une bonne idée de l'itinéraire (stratégie) à suivre, et bien s'entendre avec son interlocuteur (techniques).

Afin de vous permettre de saisir l'élan principal de ce livre, j'en résume ici les trois objectifs, et vous propose ensuite un premier conseil.

- *Objectif n° 1*   Faire comprendre la personnalité particulière de l'appareil téléphonique. Il égalise les relations, amplifie tout ce qui se dit ou s'entend et accélère non seulement la perception du temps mais aussi des émotions.

- *Objectif n° 2*   Amener les lecteurs à maîtriser leur voix, qui est en fait leur deuxième outil de travail en importance, après leur jugement. La qualité de ce qui sort de notre bouche est le reflet fidèle de ce qui est conçu dans notre tête. Comme le disait un participant dans l'un de mes ateliers : « J'ai compris que si je pense mal, je parle pire ! »

• *Objectif n° 3*

Inciter les lecteurs à adapter ces techniques et trucs du métier pour développer leur propre style. Aucune technique de vente ne fonctionne lorsqu'elle est appliquée de façon mécanique. On gagne à les adapter avant de les adopter. Plusieurs suggestions enchanteront les lecteurs, certaines les interpelleront, quelques-unes les brusqueront. Tant mieux ! Cela pousse à la réflexion, qui est un exercice professionnel des plus utiles. Un premier petit truc du métier : ne rejetez une des suggestions de ce livre qu'après en avoir rédigé une autre (meilleure) dans la marge. L'auteur accepte de laisser un lecteur marquer un but contre lui, mais il exige des preuves !

Conseil

Lire à haute voix plusieurs passages de ce livre, notamment les exemples et exercices. Verbaliser des propos permet de saisir immédiatement les nuances et d'apporter sur-le-champ des ajustements productifs.

Un lecteur ambitieux poussera plus loin la démonstration : il réunira des collègues de travail pour réaliser certains exercices en équipe et pour entamer des discussions sur certaines techniques particulières.

Si je parviens à aider des représentants et agents d'appels, j'en serai enchanté. Si je réussis à provoquer quelques échanges animés, j'en serai fier.

Chapitre 1

Être ici et là
en même temps

Un échange sur place n'est certainement pas le seul et meilleur moyen d'établir des relations d'affaires. Plusieurs d'entre nous sont pourtant convaincus que les rencontres directes génèrent plus de retombées, plus de ventes. Ils ont raison de souligner l'importance de liens personnels stables, mais se trompent en présumant que le téléphone est un substitut de seconde classe dans leur stratégie de développement.

8 raisons d'aimer les échanges par téléphone

1. Vos interlocuteurs vous entendent directement dans leur bureau, ce qui est plus agréable que dans une salle de conférence bruyante.

2. Vous communiquez de façon sécuritaire et discrète avec eux, ce qui n'est pas le cas dans les endroits publics.

3. Vous pouvez instantanément déceler et régler un problème sans les délais inhérents au courrier, à la télécopie ou même à un courriel.

4. Vos communications sont plus personnelles en raison des émotions et valeurs véhiculées par la voix, ce qui est rarement le cas dans les textes d'affaires.

5. Vous éliminez les pertes de temps en déplacement, ces moments improductifs qui grugent une partie de votre emploi du temps.

6. Vous évitez les annulations de dernière minute qui vous sont servies par des réceptionnistes compréhensives, mais fermes.

7. Vous êtes à la fois chez le client et dans votre bureau, ce qui vous permet des suivis à la fois rapides et précis.

8. Vous pouvez vous défouler immédiatement après et, si vous êtes très habile, pendant un appel, ce qui est impossible face à votre interlocuteur ; il remarquerait immédiatement votre expression, votre regard, vos gestes.

Apprécier les 3 principales forces du téléphone

Comme tout autre média, l'appareil téléphonique fait plus que transmettre un message : il le modifie. On sait qu'une image a un impact différent selon qu'elle est captée par photo ou par vidéo. L'appareil téléphonique modifie votre voix ; il suffit d'écouter un enregistrement de celle-ci pour constater avec raison que « ce n'est pas ma voix ! ». Le média intime qu'est le téléphone présente trois forces que vous devez comprendre et exploiter de façon créative.

1. Le téléphone aplanit la hiérarchie

Peu d'entre nous demeurent insensibles à la présence de gens puissants, riches, forts ou beaux. Cependant, au téléphone, vous ne voyez ni la personne ni son environnement, ce qui égalise drôlement vos rapports avec elle.

La bonne nouvelle	La mauvaise nouvelle
Vous parlez directement et en privé avec l'autre.	Cette personne vous écoute souvent de façon très attentive.
Vous parlez à une personne sans égard à la hiérarchie.	En vous référant trop à votre titre, vous pourriez paraître arrogant et distant.
Votre crédibilité relève de votre propos, mais davantage du timbre de votre voix, de la précision de votre vocabulaire.	Votre timbre de voix et vos erreurs de prononciation réduisent de façon nette l'impact et la crédibilité de vos propos.

2. Le téléphone amplifie tout

Votre interlocuteur vous perçoit par un seul sens : l'ouïe. Il vous écoute et tente constamment d'imaginer le reste : votre visage, vos émotions, vos intentions, votre force. Vous doutez de la puissance de cette amplification ?

En termes pratiques, cela veut dire que la plus petite réussite paraîtra impressionnante, la moindre défaillance semblera importante. Par exemple, un très bref silence pour trouver le mot juste sera perçu comme un signe de malaise ou d'incompétence.

Le bon côté de la chose	Le mauvais côté de la chose
Un peu d'attention suffit à vous donner un air très compétent et confiant.	Une toute petite défaillance vous donne un air nerveux, mal structuré, peu crédible.
Une capacité à maintenir un ton aimable et un rythme constant est interprétée comme un signe de grande compétence.	Les petits sons involontaires (mains qui fouillent dans un livre) sont perçus comme un signe de fébrilité et un manque grave d'organisation.
Parler pendant que vous cherchez un renseignement est ressenti comme une preuve de confiance et de compétence.	Un silence malhabile au cours duquel vous cherchez le mot juste est interprété comme un signe d'hésitation ou d'ignorance.
L'utilisation de phrases brèves et aérées est interprétée comme un beau signe d'empathie.	En tentant d'étirer indûment une phrase, vous semblez essoufflé, à bout d'arguments.

Vous avez noté l'importance de l'interprétation ? C'est bon ! Dites-vous qu'il suffit d'être de bonne humeur pour sembler enjoué, un peu mieux organisé pour paraître génial !

3. Le téléphone accélère tout

Combien de fois vous êtes-vous rué sur votre appareil téléphonique alors qu'il n'avait pas terminé sa première sonnerie, avec la frénésie d'un numéro de vaudeville ? Combien de fois avez-vous vu une vingtaine de gens fouiller frénétiquement dans leur poche de veston lorsqu'un téléphone cellulaire sonne au restaurant ?

Une recherche a noté qu'au téléphone, le temps est « accéléré » par un facteur de quatre ou cinq. Cinq secondes de silence au téléphone donne à votre interlocuteur l'impression d'en attendre 20. Vous comprenez maintenant le danger de dire : « Je vous reviens dans une minute » ?

Le bon côté de la chose	Le mauvais côté de la chose
Vous pouvez utiliser des techniques d'accélération peu acceptables dans une conversation en personne.	Votre interlocuteur peut en faire autant.
Vous pouvez mener à bien un entretien productif en cinq fois moins de temps qu'en personne.	Vous pouvez tout aussi bien rater votre coup plus rapidement !
Vous pouvez créer un impact très crédible en peu de temps.	Vous pouvez tout aussi rapidement laisser voir votre manque de préparation.
Vous pouvez en quelques mots donner le ton à l'entretien, créer le mouvement vers une entente.	Vous risquez de perdre votre élan en cherchant le mot juste, en perdant momentanément le fil de vos propos.

Organiser son environnement

Votre appel commence avant même de décrocher le combiné. Quelques petites précautions suffisent pour augmenter votre performance par téléphone.

Préférez-vous ?	Ou voulez-vous risquer de...
Deux stylos (encre effaçable) ou un porte-mine bien garni	Chercher fébrilement un crayon et prouver que vous êtes mal organisé ?
Une gomme à effacer	Biffer puis réécrire des mots de façon confuse et illisible ?
Un crayon surligneur	Remplir des pages de notes sans priorité apparente ?
Plusieurs feuilles de papier	Empiler sans ordre une tonne de notes gribouillées à l'endos d'une feuille importante ?
Des papillons autocollants (*post-it*)	Prendre des notes sur des bouts de papier rapidement égarés ?
Le dossier du client fraîchement consulté	Ignorer ou oublier certains éléments simples et essentiels du dossier ?
Un appareil main libre ou un casque d'écoute	Laisser échapper le combiné en tentant d'écrire ou en déplaçant un document en parlant ? Courir vers votre classeur hors de portée de main et tomber, ou laisser échapper le combiné en cours de route ?
Une porte de bureau fermée	Laisser entendre des sons ou commentaires sans lien avec l'appel et vous laisser distraire par un visiteur ?
Des photos de visages masculin ou féminin dans votre champ de vision	Parler à un mur vide et sans vie ?
Tenir le combiné de la main secondaire	Serrer le combiné entre le cou et l'épaule de votre bras dominant, puis le laisser échapper en tentant d'écrire avec la même main ?
Une position assise droite	Adopter une position corporelle écrasée qui vous empêche de bien respirer et de bien parler ?
Des gestes souples tels qu'on en fait avec les mains en parlant avec une personne	Parler de façon raide et sans rythme corporel particulier ?

Demandez à un ébéniste s'il est plus créatif et plus productif d'éparpiller ou de ranger systématiquement ses outils. Vos outils sont moins traditionnels et moins chaleureux que ceux de l'ébéniste ; ils sont toutefois aussi importants pour vous dans votre travail.

S'habiller convenablement

Pourquoi vous mettre sur votre trente et un, puisque vous savez très bien que personne ne peut vous voir ? Consciemment ou non, vous êtes influencé par votre tenue vestimentaire. Vous ne marchez et ne vous asseyez pas de la même façon quand vous êtes en complet-veston ou en jeans et t-shirt. Vous êtes moins « formel » et précis quand vous êtes décontracté plutôt que classique.

Voici quatre suggestions de tenue adaptée à des séries d'appels productifs :

1. Portez des pantalons (ou une robe) amples, pour éviter d'avoir la taille serrée quand vous êtes assis. Utilisez un tissu qui ne pique pas après une demi-heure dans la position assise.

2. Préférez les fibres naturelles, comme le coton qui supporte très bien la chaleur et l'humidité. Faites l'essai d'une chemise 100 % coton lors d'une journée de canicule et vous serez assurément converti.

3. Soyez conscient de la propreté de vos vêtements et regardez parfois les plis de repassage, pour vous rappeler d'en faire autant avec vos propos. Vous pouvez très bien mettre des jeans si cela est compatible avec le secteur commercial dans lequel vous travaillez, mais à condition qu'ils soient propres.

4. Utilisez votre eau de Cologne ou parfum préféré, pour littéralement vous sentir à l'aise.

En fin de compte, présumez qu'un client, un investisseur, un patron ou un journaliste-caméraman pourrait à tout moment entrer dans votre lieu de travail.

S'asseoir et se lever !

Les chanteurs font des efforts constants pour bien se tenir, pour donner à leurs poumons et à leur gorge toutes les chances de bien projeter leur voix. Faites-en autant si vous voulez vous connecter à vos interlocuteurs. Vous gagnez à être bien assis, à bien vous tenir et à faire des exercices régulièrement, pour maintenir votre énergie.

1. Achetez ou demandez un siège ergonomique comportant au moins trois réglages dont l'angle du siège et celui du dossier. Pouvoir ajuster les accoudoirs est un atout important si vous travaillez avec un clavier d'ordinateur. Vous pouvez lésiner sur la qualité de votre papier, mais pas sur votre chaise ; vous y passerez des milliers d'heures.

2. Asseyez-vous en prenant soin de conserver le dos droit ; cela facilite la respiration et vous aide à mieux transmettre vos informations et vos émotions. Votre interlocuteur saura déceler si vous êtes avachi et votre respiration et votre modulation de voix en souffriront.

3. Prenez soin de ne pas croiser les jambes, car ce geste vous éloigne de votre table de travail et vous force à adopter une position inconfortable qui génère une rigidité corporelle et des crampes. De plus, croiser les jambes crée l'impression que vous êtes nerveux, fatigué ou arrogant : attitudes peu susceptibles de vous aider à performer !

4. Levez-vous et marchez un peu, à intervalles réguliers, en prenant soin de bouger les bras et de lever les jambes. Ces mouvements

détendent, permettent de respirer amplement et rechargent votre énergie tant physique qu'intellectuelle.

5. Balayez du regard la salle et les lieux de travail. Vos yeux se fatiguent plus vite en conservant toujours la même distance focale et ils ont besoin de repos. Parlez-en à un optométriste si vous doutez de ce truc du métier.

Choisir le meilleur moment pour faire ses appels

Exploitez vos meilleures périodes de communication

Les représentants et entrepreneurs peuvent souvent réserver leurs périodes de performance naturelle : ces moments où les réflexes sont les plus aiguisés. Si vous avez un emploi du temps bien réglé, cela devient facile de planifier vos périodes d'appel. Il vous reste le défi de protéger ces moments de travail intensif.

4 façons de protéger vos meilleurs moments

1. Une mention de non-disponibilité dans votre boîte vocale.

2. Un bref texte ajouté sur votre en-tête de télécopie.

3. Une inscription de ces périodes ou délais en bas de page de vos courriels.

4. Un appui « formel » de votre gestionnaire ou patron.

Les agents d'appels vivent une réalité fort différente de celle des représentants et des entrepreneurs ; ils ont des heures de travail qui débordent avant ou après la période de réception optimale de la clientèle. Vous devez donc augmenter le taux de réceptivité aux deux extrémités de votre temps de travail, à défaut de quoi votre rendement sera toujours inférieur à votre potentiel.

Prolongez la durée et le degré de réceptivité des répondants visés

La timidité vous incite à demander la permission d'avancer ; la confiance vous suggère plutôt de prendre les devants de façon polie.

Quémander la permission	Augmenter la réceptivité
Quand puis-je vous rappeler ?	Je vous rappelle dans l'heure !
Êtes-vous disponible ?	Voulez-vous améliorer [...]
Quand serez-vous plus libre ?	Je vous rappelle à quelle heure ?
Rappelez-moi le plus tôt possible.	Je vous rappelle à quelle heure ? Je vous rappelle demain matin à 9 h 30, d'accord ?

Une autre technique s'applique aux représentants ou aux agents d'appels qui peuvent planifier leurs périodes de relance. Ils peuvent demander aux réceptionnistes les meilleures périodes d'appel : « Madame, si vous me dites quelles sont les meilleures périodes pour parler à votre collègue [...], nous en serons tous gagnants. »

Cette offre de collaboration est, la plupart du temps, appréciée des réceptionnistes et secrétaires qui gèrent souvent l'empoi du temps de leurs patrons !

Chapitre 2

La voix, l'attitude, le vocabulaire

L a voix est une chose si évidente qu'on a tendance à oublier qu'elle est un outil de travail subtil et instable. Vous gagnez à maîtriser votre voix et votre vocabulaire comme le font les acteurs et chanteurs, avec soin, patience et passion !

Développons l'analogie avec la musique. Votre voix est une symphonie où s'harmonisent des sons, des silences, un rythme, une ligne mélodique, des accords et des émotions. La mélodie serait incomplète et frustrante sans le dernier élément : l'intention. La présentation a en commun avec la chanson ce but ultime : en arriver à provoquer la réaction désirée. Cette réaction peut prendre la forme d'une émotion ou d'une bonne décision. À vous de choisir !

Contrôlez votre voix

Les émotions

Quand vous parlez, vous émettez consciemment ou non des émotions. La bonne nouvelle est que les émotions volontairement associées à vos propos leur donnent une crédibilité de première importance. La mauvaise nouvelle est que les émotions qui accompagnent inconsciemment vos propos peuvent saboter le sens de votre message.

Exercice

Lisez à haute voix la phrase suivante trois fois, en insérant chaque fois l'émotion ou le sentiment indiqué. Une suggestion : mettez-vous à trois et partagez-vous la tâche.

Phrase à lire

Madame, je suis content de vous présenter personnellement un moyen pratique et économique pour venir à bout des problèmes de rangement des vêtements saisonniers.

1re version

Dites la phrase en ressentant un **réel plaisir,** comme si vous veniez tout juste de terminer un rangement simple et ordonné de vos plus beaux vêtements.

2e version

Dites-la en ressentant de la **lassitude,** comme si vous veniez de trouver vos vêtements salis et troués dans un tiroir.

3e version

Dites-la en ressentant une **grande fierté,** comme si vous aviez vous-même inventé ce système de rangement.

Les émotions représentent le plus grand et le plus important facteur d'un message par téléphone, puisque votre interlocuteur ne peut vous voir ; il ne peut qu'entendre et ressentir avant d'interpréter et de décider.

La modulation (inflexion, ton) et les silences

Alors que l'émotion d'une voix affiche les sentiments que **vous** ressentez, la modulation représente les sentiments que vous voulez éveiller chez votre interlocuteur. Vous apportez des changements de ton et vous accentuez certains mots. Une bonne modulation donne à vos propos un rythme constant et une profondeur psychologique très importante. De plus, les brefs silences rehaussent l'effet de la modulation.

Exemples

Valeur	Techniques de modulation
Confiance	• Débit régulier à vitesse moyenne ou lente • Silences rares placés devant des mots techniques et les interpellations [vous] • Volume bas et constant sans effet de surprise
Calme	• Débit régulier et très lent • Silences rares placés devant des mots techniques et les interpellations [vous]
Urgence	• Volume bas qui inclut une vague • Débit irrégulier à vitesse assez rapide • Silences fréquents placés devant des verbes d'action et les interpellations [vous]
Assurance	• Volume assez haut • Débit régulier à vitesse moyenne • Silences fréquents placés devant des adjectifs, des adverbes et les interpellations [vous] • Volume bas, avec quelques pics sonores sur les mots clés

L'articulation

Vous pouvez posséder tous les mots requis, ils ne servent à rien si vous ne les prononcez pas correctement.

Avez-vous vu la comédie *Jumping Jack Flash* mettant en vedette Whoopi Goldberg ? Elle doit résoudre une énigme en se basant sur les paroles d'une chanson des Rolling Stones. Elle écoute la chanson à répétition et finit par crier devant les haut-parleurs : « Mick, articule... articule ! » À quoi bon utiliser les bons mots si votre interlocuteur ne peut les comprendre ?

Vous pouvez essayer de justifier un penchant à ne pas articuler : économie d'énergie, désir de gagner du temps, habitudes de vie, etc. Parler de façon molle est un signe de paresse intellectuelle, de mollesse mentale. Vous avez déjà tenté en vain à plusieurs reprises de décoder un message dans votre boîte vocale, même avec l'aide de collègues ? Demandez-vous quand vous avez mis un interlocuteur dans la même situation pour la dernière fois.

Bougez vos lèvres, plus que ça !

Le truc ici est d'une très grande simplicité : il vous suffit d'articuler exagérément, en bougeant vos lèvres et votre mâchoire en parlant. Vous êtes seul, personne ne vous regarde, allez-y !

Voici d'autres trucs qui augmentent considérablement la clarté de vos paroles et la crédibilité de vos propos :

- Faites des exercices de réchauffement : ouvrez grand et refermez votre bouche 10 fois de suite.

- Prononcez lentement et fort les voyelles A-E-I-O-U, répétez l'exercice 10 fois.

- Soyez attentif au mouvement de votre menton lorsque vous parlez au téléphone, en y appuyant légèrement votre main. Un miroir vous enseignera beaucoup.

Avantages d'une articulation claire

Signe d'amélioration	Avantage précis
Léger abaissement du timbre de votre voix.	Pour les jeunes : paraître avoir une dizaine d'années d'expérience, ce qui consolide votre crédibilité. Pour les vétérans : paraître plus énergique.
Léger ralentissement du rythme d'élocution.	Vous avez le temps de penser en parlant.
Augmentation du degré de compréhension de vos propos.	Vos interlocuteurs vous font moins souvent répéter.
Augmentation de la rapidité avec laquelle on reconnaît votre voix et du nombre de fois où on la reconnaît.	Vous pouvez compter sur le respect des réceptionnistes qui distinguent bien les bons parleurs des beaux parleurs. Vous développez un style et une personnalité reconnaissables par les gens ciblés.

Le timbre de voix

Le timbre d'une voix est une notion facile à percevoir, mais difficile à expliquer. Disons qu'il s'agit d'un mélange d'émotion, d'articulation, de rythme et de modulation. C'est un mélange inné ou appris.

- Inné, comme c'est le cas de plusieurs acteurs précoces et orateurs de talent.

- Appris par soi-même, comme chez les autodidactes qui s'améliorent constamment sur le terrain, à observer les autres et par leurs lectures.

- Appris, par perspicacité (*insight*), comme les gens qui ont développé une sérénité d'esprit, ont appris à maîtriser leurs émotions et leur stress. Leur voix produit une remarquable sonorité. Pensez à des gens qui ont réalisé une croissance ou un cheminement personnel remarquable.

- Appris par formation particulière, comme le font la vaste majorité des vendeurs, représentants et agents d'appels ambitieux. Ils suivent des cours de diction, d'élocution et de communication orale. Vous pouvez trouver et consolider votre vrai timbre de voix. Une meilleure respiration, une meilleure gestion du stress, la confiance en vous, tout cela favorise le développement d'un timbre de voix personnel et authentique, parfois assez différent de votre timbre de voix habituel.

5 façons de développer votre timbre de voix

1. Cours de communication orale. Plusieurs spécialistes et annonceurs d'expérience proposent des cours ou des ateliers. Vous en sortirez grandement surpris par l'impact que cette formation peut avoir sur les autres (et sur vous-même).

2. Adhésion au club Toastmasters (de l'anglais *toast* qui signifie lever son verre et faire un bref discours louangeur). On apprend les techniques de communication orale et non verbale dans le feu de l'action. On y accorde autant d'importance à la diction formelle qu'à l'improvisation.

3. Conférences données par des gens de métier. Écoutez-les en fermant parfois les yeux, pour noter leur rythme, leur modulation et leur interaction.

4. Lecture de livres et de documents portant sur la communication orale.

5. Participation à des séances de yoga. C'est un moyen très efficace pour trouver le rythme et la profondeur de respiration qui vous convient le mieux. L'avantage particulier du yoga réside dans le lien qu'on y fait entre la qualité de la respiration et la force de la sérénité.

La respiration

La majorité des gens utilisent leurs poumons comme un ballon gonflable : ils inspirent à fond puis expulsent sommairement l'air pour parler, puis recommencent. Cette technique instinctive suffit à entretenir la vie, mais doit être grandement améliorée pour les besoins d'une communication téléphonique et professionnelle.

Évitez les extrêmes

Comme un ballon gonflé, des poumons remplis à fond créent une grande pression. Le premier mot à sortir de votre bouche risque donc d'être lancé avec force, avec plusieurs décibels en prime.

Respiration insuffisante

Je crois, madame Orellana, que *vous verrez immédiatement que l'attrait principal de* notre machine est bien de **briser** *la monotonie de certains gestes qui causent trop souvent* des **blessures,** *des erreurs et des bris coûteux pour les* entreprises performantes ***comme la vôtre.***

Essoufflement vocal répétitif, certains mots sont inutilement projetés à pleine puissance. Très malhabile !

Votre cliente entend surtout les mots briser et blessures. Pourtant, les mots immédiatement, bel et bien et performantes étaient plus utiles. Vous comprenez maintenant qu'une très profonde inspiration est utile pour celui qui plonge sous l'eau, mais pas pour celui qui veut dire une belle phrase bien modulée !

Respiration malhabile

Je crois, madame Orellana, que vous verrez immédiatement que *l'attrait* **principal** de notre machine est bien de **briser** la monotonie de certains gestes qui causent trop souvent des blessures, des erreurs et des bris coûteux *pour* les entreprises performantes comme la vôtre.

Descentes décourageantes et dépourvues d'intérêt. Dépressif !

Respiration habile

Je crois, **madame Orellana,** que **vous verrez immédiatement** **l'attrait principal** de notre machine. Elle **brise la monotonie** de **certains gestes qui** causent très souvent des blessures, **des erreurs et des bris** **coûteux** pour les entreprises **performantes** **comme la vôtre.**

Communication fluide et bien rythmée, qui rehausse des mots clés. L'élan de persuasion est doux et respectueux. De plus, une bonne respiration permet d'améliorer une phrase lourde et trop vague ! On s'améliore !

Votre interlocutrice entend maintenant les mots, mais surtout le rythme, l'élan de vos propos. Mieux encore, elle devient plus attentive et pourra mieux comprendre votre offre, et arriver plus rapidement à une décision favorable.

Voici une visualisation du rapport entre la respiration et le rythme/modulation d'un message.

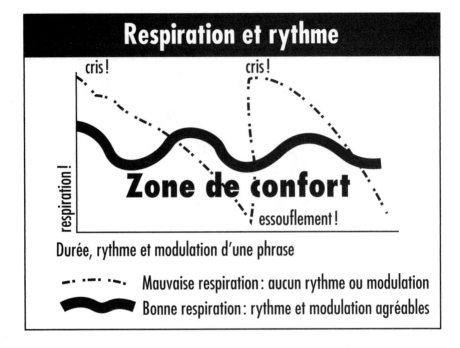

- Respirez souvent et sans effort, environ à 80 % de la capacité de vos poumons. Inspirer davantage créera une pression sur vos cordes vocales lorsque vous parlerez ; vous aurez donc un ton insistant peu agréable.

- Respirez à nouveau, quand vous avez atteint 20 % de votre capacité en air. L'air excédentaire que vous conservez dans les poumons représente votre marge de manœuvre.

- Respirez par le ventre. On respire mieux avec les muscles du ventre. Imaginez un ballon à moitié gonflé occupant partielle-ment un baril. Quelle force devrez-vous déployer pour parvenir à gonfler ce ballon ? Votre cage thoracique est un baril difficile à élargir. Déjouez cette contrainte en respirant de haut en bas, avec les muscles du ventre. Vous le faites probablement déjà pour par-ler fort ou pour faire porter votre voix.

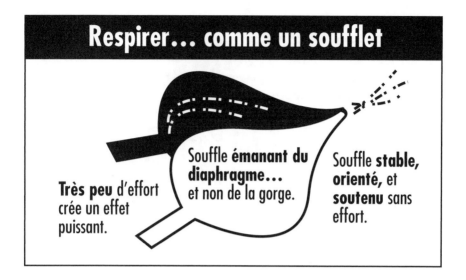

Respirer... comme un soufflet

Souffle émanant du diaphragme... et non de la gorge.

Très peu d'effort crée un effet puissant.

Souffle **stable, orienté,** et **soutenu** sans effort.

- Inspirez par le ventre, par le diaphragme (muscle soutenant vos poumons) agissant comme véritable soufflet.

- Expirez lentement, par le diaphragme. Ainsi, vous faites vibrer vos cordes vocales sans effort, avec très peu d'air. Vous obtenez une meilleure maîtrise de votre voix. Le résultat : vous paraissez calme et confiant, *parce que vous contrôlez votre souffle.*

Contrôlez votre vocabulaire

Tuez les mots assassins

Souvenez-vous que le téléphone aplanit la hiérarchie. Cela risque de créer chez vous un dangereux penchant pour la familiarité. Vous ne vous sentez pas concerné par cette mise en garde ? Détrompez-vous ! Votre vocabulaire téléphonique est fort probablement truffé de sons, de mots et d'expressions qui donnent de vous une allure de chenapan (mot signifiant « espèce de petit voyou mal élevé »). Plusieurs mots utilisés dans une conversation sont interdits durant un entretien téléphonique. La liste suivante vous fera réfléchir un peu sur l'importance d'un vocabulaire clair et bien articulé.

Mots et vocables dangereux...	... à changer pour
Euh... Hum...	J'y pense... Ça fait réfléchir...
Pis...	Et puis... Alors...
Ouais	Oui... En effet...
OK... Ah-han...	D'accord... Compris... Bien noté

Éliminez les bruits saboteurs

Certains petits bruits que vous croyez inaudibles peuvent être clairement captés par votre interlocuteur, qui les interprétera de façon exagérée, en raison du caractère amplifié de la communication téléphonique.

Quelques bruits dangereux...	Interprétation probable par votre interlocuteur
Taper sur le clavier de son ordinateur	Tiens, il ne s'intéresse plus à moi. Il ne m'écoute plus...
Feuilleter un document	On dirait qu'il est perdu, mal organisé...
Éloigner le combiné de la bouche pour faire autre chose	Il ne m'écoute plus*.
Bouger excessivement sur son siège	Eh bien, il est nerveux tout à coup...
Fouiller dans son tiroir	Bon, il cherche désespérément ses affaires...

* Les appareils téléphoniques possèdent presque tous des microphones qui captent les sons dans un certain angle. Si vous placez votre micro de côté, votre interlocuteur entendra tout à coup le son ambiant et non le son de votre voix, de votre respiration. Gageons que la dernière fois qu'un interlocuteur vous a dit « M'écoutes-tu ? », vous veniez de détourner légèrement la tête ou d'éloigner le combiné pour regarder ailleurs !

Le fait d'agencer, de façon volontaire et dynamique, certains sons qui accompagnent votre travail, crée un bel effet d'entraînement. Certains spécialistes vous suggéreront d'éliminer tout son et bruit désagréable ; ils ont raison. On gagne tous cependant à distinguer entre bruits dérangeants et sons d'accompagnement. Faites des essais entre collègues et développez une compétence de bruiteur. Votre performance en sera améliorée presque sans effort, et sans cesse.

Accentuez les mots clés

Il s'agit de mettre un accent vocal sur certains mots situés sur la vague de votre phrase. Imaginez la crête blanche d'une belle vague ; vous savez maintenant la relation entre un accent vocal et une modulation.

Énoncez la phrase ci-dessous, en mettant un accent tonique (*légère augmentation du niveau de voix*) sur les mots soulignés. Vous noterez l'effet que ces petits accents font sur une phrase, l'impact qu'ils ont sur votre capacité à persuader.

Versions de la même phrase...	Interprétation du client
a) Vous serez **surpris** par la force de ce **léger** souffleur à neige qui possède quand même une excellente traction dans les pentes.	Minute, là...s'il est trop léger, il s'embourbera !
b) Vous serez surpris par la **force** de ce léger souffleur à neige qui possède **quand même** une excellente traction dans les pentes.	Comment ça... quand même ? Je sens un doute.
c) Vous serez surpris par la force de ce léger souffleur à neige qui possède quand même une excellente **traction** dans les **pentes.**	Ouais, il ne connaît pas la pente de mon entrée.
d) Vous **serez** surpris par la **force** de ce **léger** souffleur à neige qui possède quand même une **excellente** traction dans les **pentes** comme celle de **votre** entrée.	Ah bon, j'avais pas pensé à ma pente d'entrée !

La dernière variante est la plus productive, car les mots accentués créent un effet d'entraînement : « force... léger... excellente... pentes... ». La présence du « votre » à la fin de la dernière variante augmente encore l'impact du message.

Donnez un sens aux petits silences

Vous êtes suffisamment conscient des forces et de la personnalité du téléphone pour comprendre le conseil suivant : utilisez de très brefs silences volontaires comme éléments importants de vos entretiens téléphoniques. On parle ici de ces tout petits silences qui attirent l'attention des gens sur un mot précis, sur une nuance. Pensez à une partition de musique où l'on place des silences entre certaines notes. Chaque silence placé consciemment à un endroit précis rehausse l'importance de deux mots, ceux situés immédiatement avant et après ce silence stratégique.

Des silences... stratégiques

Un très bref **silence volontaire** accentue les mots situés immédiatement **avant** et **après eux**.

- -

Ce service augmente la sécurité des activités...

> Aucun silence stratégique
> Peu d'impact, aucun élan

Ce service **augmente** ┆ *la sécurité des activités...*

> Très bref silence qui valorise
> l'aspect **sécurité** (prévention)

Ce service augmente la **sécurité** ┆ **des activités**...

> Très bref silence qui valorise
> la **production** (rendement)

3 versions de la même phrase	Impact particulier
1. Je vous contacte personnellement **pour** vous aider à réduire les frictions liées à la gestion des commandes urgentes.	Accent sur la personne et sur l'aide.
2. Je vous contacte personnellement pour vous **aider**... **à réduire** les frictions liées à la gestion des commandes urgentes.	Accent sur la notion d'aide et la réduction de friction.
3. Je vous **contacte**... **personnellement** pour vous **aider**... **à réduire** les frictions liées à la gestion de vos **commandes**... **urgentes.** (Notez le dernier « vos », qui fait toute une différence.)	Accent sur trois stades de vente : • le contact direct • l'aide et le soulagement • les commandes urgentes

Les vétérans vous diront que les silences stratégiques sont au cœur de l'impact des échanges téléphoniques. Ces brefs silences vous permettent de respirer rapidement plusieurs fois au cours d'une phrase, ce qui stabilise le volume, le ton et le rythme de vos propos. Ils permettent à l'interlocuteur de réfléchir rapidement à une ou deux notions clés. Ils incitent souvent l'interlocuteur à répondre en fonction d'un de ces mots. Ces mini-pauses permettent à l'appelant de réfléchir rapidement à sa stratégie de communication et de l'adapter.

Donnez vie aux temps morts

Certains silences représentent des dangers réels pour votre présentation téléphonique. Par exemple, le temps que vous mettez à feuilleter nerveusement un document, à lire une référence ou une information, à penser fiévreusement à une réponse appropriée, à tenter de suivre le fil de votre pensée !

Vous pensez réaliser ces opérations à un rythme normal et sans nervosité apparente ? Dommage !, car vous présumez à tort que votre concentration et votre calme seront clairement perçus par votre interlocuteur. La personne à qui vous parlez ne peut vous voir, alors elle imagine ce que vous faites (ou ne faites pas) et croit (ou ne croit pas) que vous êtes calme. C'est lors de ces dangereux petits silences que vous pouvez perdre l'élan et la force de votre communication.

Exercice pour ressentir clairement ces gouffres de silence

1. Réunissez quelques collègues autour d'une table et placez devant vous des documents tels que dépliants, catalogues et rapports.

2. Demandez à une de ces personnes de vous poser une question qui vous oblige à effectuer une vérification documentaire, en demandant à tous de fermer les yeux et d'écouter attentivement.

3. Demandez à vos collègues de fermer les yeux et d'écouter attentivement. Prenez entre 5 et 10 secondes pour tourner rapidement les pages et pour chercher l'endroit où se trouve l'information. Mettez ensuite fin à la recherche sans formuler de réponse.

4. Demandez aux écoutants de décrire ce qu'ils ont entendu et comment ils ont interprété les sons de votre feuilletage.

   La plupart des gens vous diront avoir entendu un fouillis de pages tournées, une respiration nerveuse, des sons de mains qui tapotent, etc. Pour certains d'entre eux, ces sons ont fait naître de la suspicion : vous sembliez peu compétent, plutôt nerveux. Presque tous vous diront que ces bruits ont paru durer très (trop) longtemps.

Vous devez éviter les silences vides de sens, afin de maintenir le rythme menant vers un accord avec votre interlocuteur.

Voici deux stratégies utilisées par des gens d'expérience.

1. Décrire vos gestes de façon précise en tenant compte des sons produits, comme le ferait un habile commentateur sportif.

Exemple de description visuelle faite par téléphone

> Je vérifie pour vous dans le catalogue d'automne, à la section... Normes de qualité... Pages 34... 37... Votre réponse approche !... Voilà, je lis à la section Normes... au bas de la page 37 : les normes de qualité de ce produit sont compatibles avec les standards d'Amérique et d'Europe. Cela vous donne une bonne opinion de la qualité ?

Cette méthode procure plusieurs avantages concrets et agréables. Votre silence volontaire donne à votre interlocuteur le temps de **visualiser** ou de **ressentir** ce que vous venez de lui dire. Une mise en garde : n'utilisez les brefs silences que lorsque vous avez établi un rapport de crédibilité.

Cette façon de faire parler les silences comporte des avantages pratiques et productifs :

- Le client perçoit le travail que vous faites pour lui et apprécie l'effort, si vous gérez bien silences et respiration.

- Le client constate le progrès de la recherche et ressent un intérêt croissant pour le résultat imminent, si le représentant prononce bien ses mots et accélère lentement le débit.

- Le client sait qu'on s'occupe vraiment de lui, si vous modulez bien votre voix.

Vous vous sentez à l'aise de prendre quelques secondes pour effectuer la recherche.

Vous tirez avantage de ce bref moment de silence pour écouter les sons dans l'environnement de votre interlocuteur (respiration, bruits, etc.).

2. Déterminer sur-le-champ (ou de préférence d'avance) si le délai de recherche documentaire justifie d'interrompre l'entretien et de rappeler quelques minutes plus tard.

Une suggestion

Indiquez à votre interlocuteur la durée approximative de la recherche que vous allez faire, et proposez-lui de le rappeler dans quelques minutes s'il juge l'attente trop longue.

Cette tactique comporte un danger pour les débutants, qui proposent trop rapidement cette pause et perdent leur élan. Vous gagnez à mieux préparer votre documentation (indicateurs, listes de référence, passages surlignés, etc.).

Parlez en Vous plus souvent qu'en Je

Commençons par situer vos échanges dans un contexte où l'autre ne peut vous voir. Il peut toujours vous entendre, parfois vous écouter, et peut-être vous comprendre. Cette dynamique d'écoute est très différente de celles de la lecture (ou la personne contrôle le rythme et peut rêver, puis revenir au sujet) et celle d'un échange en personne où chacun voit l'autre et peut anticiper les choses). Au téléphone, votre interlocuteur est seul et vous êtes seul : les deux uniques liens sont la parole et l'écoute. Vous gagnez à maintenir chez votre interlocuteur l'intérêt et le goût d'écouter pour l'aider à mieux réagir.

Comment le client écoute et comprend au téléphone

Il écoute selon le rythme imposé par la personne qui parle et ne peut pas écouter de nouveau, donc il peut facilement perdre tout intérêt.

Il ne peut pas clairement percevoir les sous-sections de phrases.

Il cherche immédiatement le sujet et le but de l'appel ; s'ils ne semblent pas évidents, il présumera. Vous voilà mal parti !

Il a rarement le temps de prendre des notes et peut donc confondre les informations.

Plus vous dites **Je**, plus votre interlocuteur pense lui aussi au mode **Je**, ce qui mène souvent l'échange sur le terrain des positions difficilement conciliables. Vous pouvez, dans la grande majorité des cas, reformuler vos points de vue de façon à ce que votre interlocuteur perçoive mieux son intérêt à vous écouter.

Phrases au Je peu persuasives	Même phrase en mode Vous
Je vous offre un logiciel qui accélère et simplifie les opérations techniques.	Vous pourrez simplifier et accélérer vos opérations techniques avec le logiciel dont je vous parle.
Je dois vérifier la disponibilité de cette pièce avant de confirmer son envoi.	Vous voulez recevoir votre pièce rapidement, je vérifie pour vous et vous confirme aussitôt l'envoi.
J'ai presque fini ma présentation, je vous l'assure !	Vous aurez votre réponse dans moins de 60 secondes, cela vous convient ?
J'aimerais vous présenter mes services en inspection des conduits d'air pour industries.	Les conduits d'air sont une source de soucis pour vous qui êtes dans le secteur industriel.
Cela me fait plaisir de souligner l'excellent rapport qualité/prix de notre générateur électrique portatif.	Vous serez enchanté par le rapport/qualité prix de notre générateur électrique portatif.

Parlez en mode Nous et Je, au choix !

Étant maintenant sensibilisé aux avantages de la modestie sélective, vous pouvez accéder à une technique encore plus habile : parler de vous au pluriel, sans vous prendre pour un autre ! Le recours au mode Nous peut vous donner une présence et une force persuasive de premier plan, si vous savez quand l'utiliser.

- Quand vous voulez sécuriser un interlocuteur susceptible de douter de la taille ou de l'expertise de votre entreprise :

Je vous assure que je suis en mesure de réaliser ce service dans le délai prévu !	**Nous sommes en mesure de vous rendre ce service dans le délai prévu.**

- Quand votre service ou produit est offert à des clients potentiels susceptibles de recevoir des offres d'entreprises plus grandes que la vôtre :

Je comprends que vous devez choisir entre mon offre et celle d'un autre.	**Notre offre comporte plusieurs atouts distinctifs.**

- Quand vous ne pouvez pas assumer vous-même le suivi ou la continuité :

Je suis enchanté de votre décision, j'espère être celui qui vous confirmera la date de livraison.	**Enchanté de vous avoir présenté le bon service au bon moment ! Nous vous confirmerons évidemment la date de livraison.**

- Quand vous devez ramener sur le sujet un interlocuteur trop expressif ou trop émotif :

Je crois que nous étions en train d'évaluer la somme de l'acompte initial.	**Donc, nous en sommes à déterminer le montant de l'acompte initial.**

Avez-vous noté que, dans ces cas, le recours au Nous confère un plus grand degré de confiance, une plus évidente compétence ? Parfait ! Le meilleur reste à venir.

Le recours sélectif au mode Nous vous permet de prendre une petite, mais importante, distance émotionnelle dans des situations délicates et de réserver le Je pour les situations plus productives telles que :

- féliciter votre interlocuteur par une réaction positive ;

- offrir un encouragement personnel face à un élément difficile ;

- recevoir un compliment bien mérité ;

- confirmer une date, une échéance, etc. ;

- souligner une appréciation d'une belle réplique, etc.

Vous comprenez maintenant que le Je-ici-et-maintenant est une formule adaptée à des gens qui se connaissent bien, qui parlent souvent ensemble et qui entretiennent une relation personnelle amicale ou familiale. Vous savez que pour des relations d'affaires où vous devez offrir et persuader, une meilleure formule serait Nos-vos-ailleurs-tantôt.

Découpez ou morcelez les phrases interminables

Le phénomène d'accélération spontanée affecte un grand nombre de débutants. Toute leur préparation, leur concentration et leur confiance disparaissent dès que l'interlocuteur décroche son récepteur. Les débutants se lancent alors dans une course folle ; ils sont conscients de cette lancée insensée, mais incapables d'y mettre fin. Quel désastre !

La raison de ce chaos tient à deux facteurs :

1. Le manque d'expérience. La nervosité, l'adrénaline nous entraînent dans une réaction en chaîne : aller vite, plus vite et trop vite.

2. Le sentiment d'une perte imminente de contact. Vous craignez que votre interlocuteur raccroche si vous cessez de parler, alors vous ne lui donnez pas cette chance en parlant constamment et à vitesse maximale.

---

4 trucs pour éviter le piège de l'accélération verbale

1. Utilisez les techniques de respiration et de modulation de la voix.

2. Prévoyez des petits silences volontaires qui vous aident à respirer et qui incitent l'autre à réfléchir.

3. Écoutez très attentivement pendant ces mini-pauses pour déceler un soupir de satisfaction, un petit hum ! positif, etc. Ces petits sons peuvent vous situer et vous orienter.

4. Acceptez de perdre un appel sans conclure que vous avez perdu la face ou que vous êtes un raté. Si votre estime de vous ne tient qu'à un refus, changez votre attitude ou changez d'emploi.

Ralentir votre rythme est autant une question d'attitude que de temps. Notez parmi les phrases morcelées suivantes celle qui vous impressionne le plus et modifiez-la encore un peu, pour en faire une version personnalisée. Amusez-vous !

2 phrases interminables et complexes	**Découpage habile de la même phrase en courtes phrases**
Je crois, et je suis sincère quand je vous le dis, que ce produit dernière génération peut sans contredit vous être des plus utiles dans la gestion préventive de vos opérations de production.	**Ce produit amélioré facilite au moins deux opérations courantes de votre ligne de montage… /// Si vous avez un programme d'entretien préventif, les avantages seront rapides et permanents. /// Vous avez un programme de prévention ?**
Madame Freiberg, nous pouvons, si vous le désirez, vous offrir trois modalités de paiement : l'achat en ligne, par carte de crédit ou par chèque, tout cela dans le but de vous faciliter les choses, car notre devise est « Aider nos clients, en tout temps ! »	**Madame Freiberg, nous simplifions les choses pour vous. /// Vous préférez régler par ordinateur, par carte de crédit ou par chèque ? /// Laquelle de ces méthodes vous procure la plus grande sécurité ?**

Notez comment les phrases écourtées évitent les tournures complexes et les contorsions de syntaxe. De plus, chaque reformulation prend fin par une question susceptible de provoquer une réponse positive. Pour rester en ligne. Enfin, vous avez noté qu'on évite l'utilisation excessive et malhabile du mode Je.

Réduisez le nombre et la variété des chiffres

Vous devez relever le défi de transmettre convenablement des chiffres par téléphone. Peu de gens peuvent se souvenir de plus de trois ou quatre chiffres entendus au bout du fil, surtout lorsqu'il s'agit de différentes catégories : prix, dates, numéros de série, numéros de téléphone, etc.

Exercice

Lisez la phrase ci-dessous par téléphone à trois personnes puis demandez-leur de répéter les chiffres. Faites l'essai à débit vocal ordinaire, puis en mettant plus d'urgence et de rapidité.

Je veux vous offrir deux possibilités d'achat d'une chaîne stéréophonique XB-325, dotée d'un pré-amplificateur de 60 watts et d'un ampli de 240 watts pouvant jouer 20 CD. Le modèle de base est offert à 578 $ (soit des paiements mensuels de 26,50 $) et comporte des haut-parleurs Panasonic Surboum B-335, alors que le modèle haut de gamme (340 watts et 30 CD) est offert à 690 $ (un paiement de 30 $ par mois) incluant des haut-parleurs B-335.2 plus petits, mais plus performants. Si vous payez par carte Visa ou Mastercard, vous recevrez un escompte de 5 %, mais vous devez confirmer aujourd'hui avant 17 h.

Si une personne se souvient de l'ensemble des chiffres, faites-en un conseiller en investissements ; elle est douée d'une excellente mémoire.

Voici huit trucs pour éviter de déballer des torrents de chiffres (et de noyer votre offre dans ce déluge).

1. Négociez avec vos patrons ou clients mandataires une réduction et une simplification des chiffres contenus dans la présentation. Dites-leur que le téléphone peut être plus productif qu'une annonce imprimée, mais qu'il ne peut pas s'y substituer entièrement.

2. Explorez la possibilité de diffusion parallèle, mettant à contribution la télécopie, le dépliant, le site Web, etc.

3. Peaufinez le scénario de façon à réduire ou à regrouper les chiffres. Par exemple, parlez et comparez les numéros des modèles avant de parler des prix et des modalités.

4. Parlez plus lentement quand vient le temps de présenter les chiffres.

5. Faites de fréquentes pauses pour aider votre interlocuteur à réfléchir et pour ralentir votre présentation.

6. Recourez, si possible, à des montants arrondis pour éviter une enfilade de chiffres. Le client se souviendra plus facilement d'un paiement de 25 $ que de 24,87 $.

7. Validez fréquemment la compréhension et l'intérêt de l'interlocuteur.

8. Privilégiez ouvertement un mode de paiement, quitte à offrir d'autres choix, si le client désire une autre façon de régler.

Version améliorée de la même offre (pauses indiquées par ///)

Je veux vous offrir deux possibilités d'achat d'une chaîne stéréophonique. /// Parlons puissance : le premier modèle possède un pré-amplificateur de 60 watts /// et un ampli de 240 watts /// quatre fois plus puissant.... /// Le second est identique, sauf pour les haut-parleurs, nettement plus performants... /// Il s'agit dans les deux cas de haut-parleurs Panasonic... /// Désirez-vous des chiffres encore plus précis ?... (Si oui, le client est intéressé !)
La même logique s'applique au nombre de CD. /// On passe d'une capacité de 20 CD à /// 30 CD, parfait pour vos soirées sans tracas de choix musical, n'est-ce pas ? (Si oui, le client est encore plus intéressé, car il évoque une modalité d'utilisation ; si le client désire connaître le prix, vous savez qu'il désire presque certainement acheter.)
[...] Une dernière /// bonne nouvelle, vous obtenez immédiatement un rabais... /// un rabais de 5 % du manufacturier /// si vous utilisez la carte MasterCard ou Visa aujourd'hui /// avant 17 h.

Ce scénario est évidemment incomplet, mais il propose une façon relativement bien ordonnée et attrayante de présenter des nombres et des numéros.

Communiquez en mode positif

Par téléphone, plus qu'avec tout autre mode de communication, vous devez être attentif au choix des mots, parce que votre interlocuteur vous écoute plus attentivement que vous ne le pensez.

Mots et phrases inutilement négatifs	Traduction positive et persuasive
Cela ne devrait **pas** prendre **trop** de temps.	**Je serai bref.**
Ce n'est **pas du tout** ça que j'ai dit, au **contraire.**	**Ce que j'ai dit , c'est…**
Je regrette, mais je **ne peux pas** répondre **sans** vérifier.	**Je vérifie pour vous.**
Non, les taxes **ne sont pas** comprises…	**C'est le prix avant taxes.**
Il y a une petite **erreur** de calcul; ce n'est **pas grave.**	**J'ajuste cela tout de suite, merci de l'avoir vu !**
La livraison ne devrait pas tarder.	**La livraison est faite dès demain 9 h.**
Je m'en occupe sans **faute, pas** plus **tard** que tout de suite.	**Je m'en occupe tout de suite.**
J'**espère** que vous n'avez **pas** attendu **trop longtemps** en ligne.	**Me revoici… On continue.**
Ce n'est **pas fou du tout** votre idée.	**J'apprécie votre idée ; vous suggérez donc de…**
Pas de problème !	**Certainement !**
Je **ne peux pas** accepter votre demande.	**Je dois maintenir le principe d'équité.**
J'ai oublié de souligner que…	**Voici un dernier petit détail…**
Je regrette cette (mon) erreur.	**Je répare cela tout de suite. Je m'en occupe immédiatement. Je corrige la situation tout de suite.**
Je **regrette** de vous aviser d'un **fâcheux retard.**	**Je vous avise d'un léger ajustement d'horaire.**
Malheureusement, je **ne peux pas** vous répondre, ce n'est **pas** mon service.	**Je vous mets en communication avec […], qui en sait plus que moi sur le sujet.**
Je **ne peux pas** supporter qu'on me parle sur ce ton **hostile.**	**Plus on est clair et précis avec moi, plus je performe.**
J'ai ici votre bon de commande qui **n'est pas** complet, c'est cela qui retarde la livraison.	**Je peux vous aider à remplir le bon de commande pour accélérer votre livraison.**

Ne pourriez-vous **pas** parler un peu plus fort ; j'ai de la **difficulté** à vous comprendre.	**Parlez-moi un peu plus fort, et je vous comprendrai du premier coup.**
Non, monsieur, ceci **n'est pas** un appel de vente **sous pression.**	**Monsieur, je vous offre une solution pour simplifier...**
Ne quittez pas, je ne serai **pas** parti longtemps !	**Restez à l'écoute, je reviens dans 15 secondes.**
Vous ne dites pas !	**Vous le dites très bien !**
Je **ne comprends pas** où vous voulez en venir.	**En bref, vous me demandez quoi ? Bien non ! Bien sûr !**

Voici une façon de développer en quelques semaines un talent de communicateur poli, persuasif et performant.

- **Notez que les propos négatifs sont prisonniers du présent,** avec un regard porté sur le passé.

- **Sachez que les propos positifs sont dirigés vers le futur,** en partant du présent.

- **Échangez régulièrement entre collègues** et gestionnaires dans le but de partager et de peaufiner des techniques de communication persuasive.

Utilisez des tournures de phrases qui vont droit au but

Vous gagnez à éviter les expressions savantes ou complexes, car un interlocuteur qui manque d'attention n'aimera pas quémander une explication (fierté) et choisira de simuler la compréhension (orgueil).

Tournures mal adaptées au téléphone	Tournures mieux adaptées
Je saisis une certaine hésitation face à la procédure d'implantation de nos services techniques.	**Je saisis que vous voulez une explication claire et pratique face à la procédure d'implantation. D'accord, la voici...**
La problématique de transactions à distance nous concerne évidemment monsieur Jalbert et nous estimons opportun d'en faire le tour avant de conclure.	**Cette situation nous concerne autant que vous monsieur Jalbert ; résumez votre politique de commandes par téléphone, et dites-nous quelles sont vos attentes en matière de livraison rapide ?**

Relisez les versions adaptées, en tenant compte des notions de relance et de réponse. Le niveau de langage est plus direct, plus inter-actif et chaque phrase suggère un échange pendant lequel l'interlocuteur joue un rôle actif. Les phrases sont brèves et vous permettent de respirer de façon habile et fréquente.

Évitez les superlatifs, absolument ou presque !

Les « motivologues » vous diront qu'il faut être suprêmement confiant pour réaliser son plein potentiel. Ils ont raison. Le hic, c'est que trop de conseillers, de représentants et d'agents d'appels concluent que ce principe doit s'appliquer uniformément à tous les aspects de leurs communications. Vous discutez avec des gens qui peuvent être moins confiants, moins optimistes ou moins motivés que vous. La plupart des interlocuteurs sont hésitants devant vos présentations, plusieurs sont plutôt résistants, quelques-uns sont carrément hostiles. Pourquoi leur donner des raisons de couper court à un entretien en les noyant sous un flot de superlatifs difficiles (ou impossibles) à vérifier par téléphone ?

Examinons les conditions actuelles avec le baromètre d'aujourd'hui.

- Les collaborateurs, clients, collègues et fournisseurs sont nettement plus scolarisés et informés que jadis, notamment à propos des fraudes et autres crimes commerciaux.

- Ils font face à une grande quantité d'offres de toutes sortes.

- Ils peuvent recourir à une multitude de lois, organismes et procédures pour défendre leurs droits et imposer leurs points de vue.

- Ils sont naturellement sceptiques quant aux promesses, aux certitudes et aux superlatifs.

Vous êtes au téléphone pour présenter, pour persuader, pour négocier et vendre vos produits, services ou idées. Faites ce que disait il y a un siècle l'écrivain satiriste Sacha Guitry : « En affaires comme en amour, il faut savoir jusqu'où aller trop loin ! ».

Le truc consiste à tenir pour acquis que votre interlocuteur possède des neurones en bon état et qu'il évalue votre offre en fonction de ses propres normes. Les experts en communication téléphonique vous répéteront que le meilleur superlatif, c'est celui énoncé par le client, et non celui que vous lui lancez.

Superlatifs souvent peu crédibles	Versions plus crédibles
C'est le meilleur produit de ce type sur le marché, croyez-moi !	**C'est un produit dont la performance est bien documentée, voulez-vous des références ?**
Vous serez absolument enchanté par cette toute nouvelle échelle pliante !	**Vous apprécierez grandement trois avantages pratiques de cette échelle pliante : vous appréciez la sécurité ?**
C'est la toute première fois que ce service est offert à ce super bon prix !	**Ce service est maintenant offert à bon prix en raison de la réputation de confiance que nous avons développée ; une référence serait utile ?**
Ce vélo de montagne est super bien fait et ultra résistant !	**Ce vélo de montagne a été testé pendant six mois sur les sentiers du mont Mégantic. Le rapport statistique est à votre disposition, sur demande.**
Je vous comprends parfaitement, madame Déry !	**Je comprends bien votre désir d'information technique ; voici ma réponse en deux phrases.**

Les publicités télévisées ou imprimées peuvent présenter une avalanche de superlatifs sans trop de risques, car ces superlatifs sont accompagnés d'éléments visuels ou sonores.

Exemples de superlatifs suspects	Suggestions de dosage
Extraordinaire	**Remarquable**
Parfait	**Excellent rapport qualité/prix**
Entièrement renouvelé	**Amélioré en sept points**
Personne ne vous fera une meilleure offre	**C'est une offre difficile à battre**
Impossible d'avoir mieux	**C'est notre meilleure offre**
C'est absolument garanti	**La garantie est entière**

La différence entre les deux colonnes est à la fois nuancée et importante. Les superlatifs à gauche semblent surgir du cœur, avec les humeurs variables qui l'accompagnent. Les mots de droite semblent sortir du cerveau, avec la crédibilité qui est souvent le lot des propos réfléchis.

Voici deux derniers conseils au sujet des superlatifs :

1. Faites confiance à la qualité de vos offres, à la force de vos propos, à l'élan de la relation personnelle entre vous et l'autre.

2. Doutez parfois de la magie présumée de certains superlatifs. La seule magie qui fonctionne, c'est le lien entre la crédibilité et la confiance.

Chapitre 3

Le scénario

On dit des gens ambitieux et expérimentés qu'ils ont du flair. Ces gens ont développé une approche personnelle et productive, souvent sans scénario préalable. En fait, leur scénario n'est pas sur papier, mais finement situé dans leur tête.

L'exercice suivant illustrera peut-être votre penchant pour le scénario d'appel, surtout s'il est conçu par un comité désirant intégrer trop de bonnes idées.

Affirmation	Plutôt d'accord	Vraiment d'accord
La communication interpersonnelle est une chose souple ; avec un scénario, je me sens enfermé dans un cadre rigide.		
Les réactions de l'interlocuteur sont imprévisibles ; je ne peux pas prévoir ma réaction à des propos que j'ignore !		
Mon interlocuteur s'attend à ce que je m'adapte à ses propos ; j'ai assez de flair pour y arriver.		
Un scénario, c'est bon pour les débutants et pour les appels de sondage, mais pas pour la sollicitation, la vente et le service après-vente.		

Les gens qui ont répondu « Vraiment d'accord » à ces affirmations souffrent probablement d'insécurité ou d'arrogance, et ils sont nombreux. Tant mieux si vous avez répondu souvent « Plutôt d'accord » ; vous êtes franc et acceptez d'affronter vos doutes !

Évidemment, un échange par téléphone ne peut être découpé comme un travail sur une ligne de montage. Peut-on s'entendre cependant pour dire qu'il peut ressembler à un dialogue de film qui se déroule par téléphone avec des acteurs qui savent ajuster leurs répliques ?

5 avantages et limites du scénario

Comme toute stratégie, du scénario d'appel découlent des avantages, des inconvénients et des limites. Le scénario peut être formel (sondages ou grandes campagnes de suivi), simple et flexible (appels de développement, d'offre initiale) ou inexistant, dans le cas d'appels anodins.

5 avantages	**5 limites**
1. Facilité de placer des appels en série, en peu de temps, sans perte de rythme.	1. Risque de paraître programmé et monotone, si le scénario est de mauvaise qualité et votre voix mal modulée.
2. Possibilité d'improviser à partir d'un but et d'un plan.	2. Danger de refuser les ajustements par peur de diluer le plan.
3. Sentiment de confiance susceptible d'accroître le rendement des appels.	3. Possibilité de paraître superficiel et insensible.
4. Économie de temps et de frais en téléphonie.	4. Potentiel de rompre la communication avant que l'interlocuteur soit prêt, il se sentira coupé.
5. Développement graduel d'un style de communication personnel.	5. Danger de devenir blasé et prévisible.

Si vous aimez l'espoir, le risque, les surprises et les déceptions répétitives, achetez des billets de loterie ; si vous préférez le rendement à moindre effort, la continuité sans crise, peaufinez votre scénario d'appel. Il vous procure un remarquable centre d'équilibre.

En partant d'un bon scénario, vous pouvez prendre des libertés, accepter des détours, puis revenir sans hésiter et sans difficulté à votre sujet et à votre objectif. Un artiste de jazz improvise sur un thème ; faites-en autant !

Que contient un scénario ?

On rédige un scénario comme on écrit de la musique, avec une série de signes qui, de prime abord, semblent étrangement loin des sons évoqués ! Chaque signe a pour fonction d'encadrer un aspect de la mélodie, mais les musiciens de talent savent apporter des variations à ces directives du compositeur. Il suffit d'écouter la même symphonie dirigée par trois chefs différents, ou d'écouter une vieille chanson de blues à la guitare acoustique remise au goût du jour par un musicien survolté, et interprétée à la guitare électrique. Explorez avec nous cette analogie musicale.

Scénario musical	Scénario d'appel
Sujet ou idée de base	Même chose
Émotion ou sentiment à projeter	Même chose
Ton de base	Même chose
Notes clés	Mots clés
Vitesse (tempo)	Même chose
Crescendo, glissando, etc.	Accentuation, modulation
Silences, soupirs, demi-soupirs, etc.	Même chose
Refrains	Répétitions volontaires
Sons et voix	Respiration et voix
Accords	Ententes

Le sujet et l'objectif de l'appel

Certains ont la fâcheuse tendance de formuler leur message après avoir composé le numéro de la personne concernée. Le premier travail de scénarisation consiste à énoncer un sujet et un but de communication.

Exemples de message flou	Résumé en trois mots
On veut inviter les présidentes de plusieurs associations régionales d'horticulteurs à visiter une entreprise d'outils et d'accessoires de jardinage afin d'augmenter de 15 % la location auprès des regroupements sectoriels.	Un verbe : promouvoir Deux mots : 15 %, location
Tenter ensemble d'augmenter les ventes mensuelles de l'ordre de 4 % ou 5 % d'ici le 28 du mois suivant, afin d'atteindre le seuil de performance top 10.	Un verbe : atteindre Deux mots : performance, top

L'objectif de rechange ou de repli

Soyez réaliste en prévoyant un objectif de rechange, pour y recourir avec aisance si les circonstances le justifient. Souvenez-vous du caractère d'amplification du téléphone : deux secondes mises à chercher votre objectif de repli seront interprétées par votre interlocuteur comme un signe de mauvaise préparation, comme une occasion de raccrocher, ou d'accélérer en exigeant de vous une ultime concession. (C'est oui ou non ?)

Message de base	Objectif optimal	Objectif de rechange
Promouvoir la location de groupes d'accessoires et d'équipement de jardinage auprès d'une clientèle de regroupements.	Un verbe : promouvoir Deux mots : location, 15 %	Un verbe : montrer (chez les présidentes) Deux mots : catalogue, essai (de location)
Vos ventes mensuelles doivent augmenter de 5 % pour atteindre le seuil de performance top 10.	Un verbe : atteindre Deux mots : top 6 mois.	Un verbe : confirmer Deux mots : 7 % d'intention

La gradation des objectifs permet de maintenir l'élan de l'échange. Mieux encore, elle vous procure une belle capacité d'ajustement dans le feu de l'action. Certains vont jusqu'à planifier un deuxième objectif de repli.

Une histoire vécue par l'auteur

À la suite d'informations reçues de certains gestionnaires et membres du conseil d'administration d'une PME, j'étais tellement assuré de décrocher un contrat de graphisme que j'ai téléphoné au directeur général de l'entreprise, pour lui offrir nos services, avec l'envoi d'un croquis préliminaire en argument central de présentation.

Directeur (voix neutre et très bien articulée) : « Non, je n'ai aucun besoin de modifier notre logo. Nul besoin de me présenter de croquis... »

Moi (respectueux) : « Je vois que vous êtes ferme et précis ; êtes-vous assez curieux pour en recevoir une copie par la poste pour vos dossiers ? »

Directeur (un peu fâché) : « Non. Vous pouvez mettre le dessin à la poubelle. »

Moi (soumis, mais confiant) : « D'accord, monsieur ! Une dernière précision : votre poubelle ou la mienne ? »

Directeur (maintenant poli) : « Vous êtes tenace et confiant, postez-moi le dessin et je l'examinerai. »

Je n'ai pas décroché ce contrat, mais le directeur s'est souvenu de moi et de mon aisance face à l'adversité lorsque je l'ai croisé dans un colloque un mois plus tard. À ma place, vous auriez mentionné le désir de changement énoncé par des cadres et membres du CA du directeur ? Cela aurait été une gaffe : vous auriez été perçu comme quelqu'un qui travaille dans le dos des décideurs et auriez mis vos alliés dans l'embarras face à leur directeur.

L'émotion, le ton et le rythme de base

Un bon scénario organise des éléments pour donner un sens et un élan à votre message et à votre interaction. Partons d'un exemple qui démontre l'importance d'agencer ces éléments.

Exemple

Vous êtes représentant d'une entreprise réputée (par exemple Stihl). Vous voulez un rendez-vous avec plusieurs directrices d'associations d'horticulteurs, dans le but de leur offrir un nouveau programme de location collective d'équipement et d'accessoires d'horticulure et de jardinage.

- Le sujet et l'objectif de l'appel : rendez-vous, signer contrat de location.

- Le ton, le rythme et l'émotion : régulier et méthodique (valeurs associées au jardinage et à l'horticulture).

- Les émotions ou valeurs : la confiance et la prévoyance.

- Le rythme : relativement lent et régulier, voix modulée (pour renforcer le climat de confiance).

On perçoit déjà des techniques à privilégier et à éviter, des attitudes et propos à utiliser même face à une réplique inattendue des clients.

Exercice pratique

Améliorez ce message flou et mou, en fonction des directives suivantes :

- Enlevez (hachurez) au moins six mots qui font oublier l'objectif principal du message (ajustez le texte si nécessaire).

- Placez au moins trois silences éloquents (signe ///).

- Choisissez, parmi les mots entre parenthèses, celui qui reflète le calme et la confiance.

- Soulignez au moins 10 mots accentués (à prononcer en élevant le ton).

- Éliminez ou modifiez des sections de phrases inutiles qui alourdissent le message.

- Reformulez au mode actif les verbes passifs.

- Augmentez les vous (en réduisant les nous, nos, mes).

Madame Dufresne, je suis (enchanté, heureux) de pouvoir vous inviter à une visite de nos locaux où se trouvent plus de 90 outils et accessoires de jardinage, d'horticulture et de paysagement. Vous serez sans doute (surprise, étonnée, impressionnée) de constater la qualité de nos produits, notamment ceux conçus expressément pour une utilisation féminine. Il suffira d'une brève visite d'une heure dans nos locaux afin de (voir, examiner) nos outils, instruments et accessoires, incluant notre (nouvelle, impressionnante) ligne de vêtements ?

Pourquoi ne pas venir me voir, disons jeudi matin, à mes bureaux au 123, rue des Pins ? Notre entreprise peut offrir à votre association une promotion de location collective qui réduira vos dépenses en frais de transport ! Je peux compter sur vous jeudi ?

Ouf ! Ce type d'invitation est typique des scénarios d'entreprises trop centrées sur elles-mêmes et plus intéressées à leurs produits qu'à leurs clients. La cliente se sentira, avec raison, reléguée au rôle de figurante et non confirmée dans son rôle de présidente d'une association (c'est-à-dire une cliente importante).

Voici une version de texte annotée et améliorée

Madame Dufresne, je suis (enchanté) de pouvoir **vous** inviter à visiter nos locaux qui contiennent **plus** de 90 outils et accessoires de **jardinage, d'horticulture** et de paysagement. Vous serez sans doute (impressionnée) de **constater** la qualité de nos produits, notamment ceux conçus **expressément** pour une utilisation féminine. Une brève visite d'une heure dans nos locaux **jeudi matin** vous permettra (d'**examiner**) ces outils, instruments et accessoires, incluant une (nouvelle) ligne de vêtements. Voulez-vous me rencontrer, disons jeudi matin, à mes bureaux au 123, rue des Pins ? Notre entreprise peut vous proposer une promotion de location **collective** avantageuse en frais de transport ! **Quelle** heure jeudi matin vous convient **le mieux** ? Pensez-vous venir seule ou **accompagnée** ?

Les phrases sont claires et centrées sur la cliente. Près de 15 mots ont été éliminés. Les mots clés reflètent la confiance. On mentionne la promotion sans tout dévoiler. On répète la date et on invite la cliente à identifier le moment de sa visite. On augmente la probabilité d'une entente en suggérant qu'elle invite une personne pour cette belle visite. Le but, la stratégie et le résultat forment un excellent trio.

La présentation (échange linéaire ou en courbes)

Votre scénario prend toute sa force lors de la présentation de votre message. Cet aspect du scénario sera développé dans le chapitre 4 du présent ouvrage (page 79). Votre présentation constitue une interrelation dynamique entre votre interlocuteur et vous. Votre offre ne doit donc pas ressembler à une fanfare militaire, mais à une mélodie qui invite l'autre à danser avec vous.

Les silences et les temps morts

Certains des meilleurs rédacteurs de scénario indiquent des moments de silence volontaire (voir page 86). Ces temps apparemment morts peuvent fournir à votre interlocuteur des moments de réflexion essentiels à sa prise de décision.

Les refrains et les répétitions

Telle une mélodie qui répète certaines suites de sons, un scénario de qualité présente des répétitions volontaires. Ces mots clés décrivent trois éléments : caractéristique, avantage, bénéfice. Vous verrez en détail ces trois éléments dans le chapitre 4.

À ce stade, un exemple sera plus utile qu'un exposé.

Exemples

1. Refrain et répétition volontaires

Pour un appel de vente d'un programme de temps d'appel par cellulaire.

Caractéristique	Avantage	Bénéfice
Facturation à la seconde près	Précision de vos comptes à payer	Élimination des frais inutiles

2. Refrain et répétition volontaires

Pour la location de chalets de pêche.

Caractéristique	Avantage	Bénéfice
Premier choix découlant d'une location par téléphone	Planification rapide de vos vacances	Sécurité et quiétude personnelles

Les sons et les voix

Nous connaissons plusieurs représentants ambitieux qui suivent des cours de diction. Certains vont même jusqu'à utiliser des enregistrements sonores qui diffusent des sons associés au service ou produit offert. Par exemple, faire des appels de location de chalet, sur une trame sonore présentant de très légers bruits de lac et de nature.

Les accords

Un scénario comporte normalement plusieurs offres d'entente avec l'interlocuteur. Les premières occasions d'accord gagnent à porter sur des émotions, des valeurs ou des principes généraux. Cela sera développé au chapitre 4.

Ici, il suffit de distinguer entre un accord de principe (qui permet au client de dire oui, sans conséquence technique immédiate, mais qui crée néanmoins un engagement personnel) et un accord technique (d'où découle une conséquence juridique immédiate).

Proposer un accord de principe	Proposer un accord technique
Pour vous, le contrôle des frais réels de téléphone est-il un sujet d'intérêt ?	Si je vous propose une réduction de vos frais de téléphonie, allez-vous signer un contrat avec nous ?
Aimez-vous les vacances tranquilles ?	Voulez-vous un chalet tranquille pour 800 $ par semaine ?

Les ententes préliminaires ne peuvent pas remplacer les ententes techniques, mais elles créent et encadrent un élan vers une entente finale. Les vétérans vous diront qu'il faut avoir conclu entre trois et cinq ententes de principe avant de proposer une entente technique finale.

Les « trois mouvements » d'un appel : P.R.O.

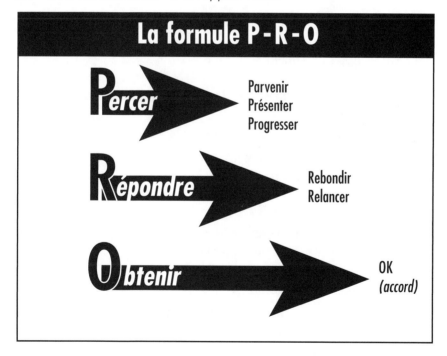

Les trois étapes résumées seront développées dans le chapitre 4. Nous vous proposons ici une vision synthèse facilitant beaucoup les choses.

1er mouvement : **P**ercer, percevoir, parvenir, présenter et progresser

Cette étape consiste à déterminer d'avance comment on entend prendre place dans les valeurs et dans le processus décisionnel de la clientèle concernée. C'est justement à ce stade que trop de gens commettent de erreurs importantes.

- Oublier de valider le nom et la fonction de l'interlocuteur.

- Présumer que la personne concernée est disponible et disposée à écouter.

- Entamer la présentation sans s'identifier.

- Parler trop rapidement.

- Ne pas écouter les réactions de l'interlocuteur.

2e mouvement : **R**épondre, rebondir, relancer

Vous devez écouter activement pour être en mesure de relancer habilement votre interlocuteur, surtout lorsque ce dernier a une multitude d'objections à vous opposer.

Dans le chapitre 4, vous découvrirez 5 types d'objections et 25 façons de les gérer en toute confiance.

3e mouvement : **O**btenir un OK

La dernière étape d'un scénario représente le sprint final vers la conclusion désirée. La compétence principale consiste ici à obtenir des ententes de principe intérimaires. Sans ces accords informels, vous pouvez difficilement parvenir à une entente finale ; vous ne percevrez pas le moment magique où le client prend sa décision.

Rédiger un scénario en comité élargi

La principale maladie susceptible d'affliger un scénario, c'est la rédactionnite aiguë, causée par un trop grand nombre de personnes concernées (patrons, consultants, clients, mandataires, etc.). La présence active de ces gens bien intentionnés dans un comité de rédaction complique singulièrement la rédaction du scénario. L'engagement de ces personnes n'est pas mis en doute ; il doit être géré avec doigté. Vous gagnez à écouter ces partenaires souvent trop présents, en vous rappelant deux vérités :

1. Les messages transmis par la radio, la télévision ou la presse écrite sont plus faciles à planifier et à encadrer que ceux transmis par le téléphone. Leur diffusion se fait longtemps après la conception du contenu et touche un public vaste (et lointain).

2. Les meilleurs juges de la qualité d'un scénario téléphonique sont les clients cibles, qui interagissent directement avec l'agent d'appels ou le représentant, en temps réel. Un ou plusieurs prétests permettent de peaufiner un scénario, mieux que ne le feront la plupart des gestionnaires, clients mandataires ou consultants. Les consultants et gestionnaires de talent en conviennent et apprécient les essais préliminaires auprès de clients types.

Risques et avantages de travailler en comité élargi

Les risques

1er risque :   **hésiter à contester les propos du client** qui joue les rôles de patron et de collègue. Cette double fonction permet rarement des échanges égalitaires, souvent corsés, typiques des sessions de travail en scénarisation.

2ᵉ risque : **tenter de plaire au patron ou client immédiat** au point d'oublier les centaines de clients cibles. Cela arrive souvent lorsqu'on admire le patron ou le client mandataire.

3ᵉ risque : **se protéger sournoisement** en acceptant toutes les suggestions du client immédiat, sur qui nous ferons tomber la responsabilité d'un échec éventuel : « Oui, mais c'est vous qui aviez dit de faire valoir cet aspect. » C'est une tactique d'amateurs.

Les avantages

1ᵉʳ avantage : **développer une vision et une stratégie communes** auxquelles tous adhèrent. Cela permet des échanges francs, énoncés en fonction des clients finaux. Voici réunies la créativité et la responsabilité.

2ᵉ avantage : **obtenir en temps opportun** une documentation et un appui concrets. L'époque est révolue où on misait tous sur le talent d'un seul rédacteur.

3ᵉ avantage : **apporter avec confiance des ajustements** rapides en cours de route. Le travail en collaboration ayant porté sur les stratégies et les objectifs, on peut établir d'avance les indices qui justifient des ajustements.

Les étapes du travail en comité

1ʳᵉ étape de collaboration : prise d'information auprès du client mandataire

Le client apporte les données requises à la charpente d'un éventuel scénario. Il fournit une description de son produit ou service, une documentation de soutien, un résumé du défi et des contraintes probables, une liste de mots clés ou d'arguments de présentation, etc. Il travaille avec un représentant, un superviseur. La présence d'agents d'appels ou de représentants n'est pas requise.

2ᵉ étape de collaboration : schématisation avec le client mandataire

On organise une session de travail avec le client, un représentant, un superviseur et un agent d'appels d'expérience. Ces personnes apportent leurs suggestions, formulent et répondent à des questions et explorent les contraintes. Durant cette rencontre, on doit éviter que le client et le représentant passent à côté ou par-dessus le gestionnaire de l'équipe d'appelants ; cela déstabilise la structure et la procédure de travail. Un comité de plus de cinq personnes crée habituellement des guerres de clocher où chacun tente d'établir son ascendant sur ses concurrents.

3ᵉ étape de collaboration : finalisation sans la présence du client

Le client fait confiance à l'équipe. Il laisse le superviseur, le représentant et un ou deux agents d'appels finaliser un projet de scénario plus détaillé. Cette démarche doit se réaliser sans crainte des réactions d'intervenants ou de collaborateurs externes intrusifs.

4ᵉ étape de collaboration : ajustement et validation avec le client

Le client prend connaissance du projet de scénario et y apporte d'ultimes nuances avant d'accepter ou de refuser le texte. Il importe ici que le client sache que le scénario pourra être peaufiné par une première série d'appels de prétests, et ajusté dans le feu de l'action par des agents ou représentants. Trop de gestionnaires ou superviseurs oublient de faire valoir à leur client mandataire le professionnalisme de ceux qui feront les appels. Cet oubli crée souvent des frictions avec le client qui comprend mal qu'un représentant ou un agent d'appels puisse apporter des petites modifications à un texte pourtant déclaré final.

Tout le monde gagne à savoir comment apporter des ajustements à un scénario, sans miner sa crédibilité et sans douter de la compétence de ses partenaires.

Rédiger un scénario tout seul

La taille de votre entreprise ou les circonstances peuvent vous obliger à concevoir et à réaliser seul une série d'appels. Oublions les gros budgets, les consultants chevronnés, les comités multipartites; vous devez vous débrouiller seul. La bonne nouvelle est que vous pouvez faire ce que vous voulez sans avoir à endurer des collègues. La mauvaise nouvelle, vous devez assumer tous les risques sans pouvoir blâmer les autres. Votre situation n'est pas tragique. Il suffit de compenser une faiblesse de collaboration interne par une force de collaboration externe.

Les étapes

1re étape : faire une analyse réaliste de la situation

Analyser le produit ou service à présenter, prendre connaissance des offres des concurrents potentiels, étudier l'actualité pour prendre note des produits ou services populaires en cette période. Développer au maximum une capacité d'écoute.

Exercice

Augmenter son potentiel de perception

Trouvez 15 synonymes ou équivalents du mot écouter :

1- Écouter
2- Capter
3- Ressentir
4- Regarder
5- … à vous de terminer la liste !
6-
7-
8-
9-
10-
11-
12-
13-
14-
15-

Si vous n'y arrivez pas seul, achetez un dictionnaire de synonymes ou consultez des amis (voilà un synonyme : consulter !).

2e étape : établir trois objectifs au lieu d'un seul

Quand on doit traverser seul le désert en voiture, on prévoit au moins des pneus de secours (bien gonflés) et un bidon d'essence supplémentaire (bien rempli). Étant dans une situation similaire, tenez pour acquis qu'il y aura des accidents de parcours et prévoyez trois objectifs : un objectif principal et deux de rechange. Quand tout repose sur vos épaules, vous êtes susceptible de vous inquiéter trop facilement et de vous décourager trop rapidement. Des options de repli et de rebond vous permettent de demeurer calme devant des objections ou contraintes imprévues.

3ᵉ étape : rédiger un scénario et le mettre de côté

Rédigez un premier scénario, puis mettez-le de côté au moins une journée. Ne l'utilisez surtout pas ! Un texte de première génération peut être beau, mais il est rarement bon. Laissez passer la certitude et le doute. Ressortez ce texte et lisez-le à haute voix. Vous percevrez mieux les forces et faiblesses du texte.

4ᵉ étape : rédiger un second, troisième et quatrième scénario

Un mouvement de danse qu'on répète avec soin devient de plus en plus souple, de plus en plus sûr. Faites de même avec votre scénario.

- **Rédigez en rafale au moins deux ou trois autres textes,** puis testez-les à haute voix, plusieurs fois (en changeant chaque fois de ton et d'émotion de base) avec un magnétoscope. Une caméra vidéo vous procure l'avantage supplémentaire de pouvoir analyser vos gestes et l'expression de votre visage.

- **Prétestez les deux versions que vous jugez les meilleures,** d'abord auprès d'amis, parents ou collègues ayant un bon sens critique. Fort de ces premières critiques, effectuez des essais auprès de clients fidèles, à qui vous donnez le titre de conseillers ou collaborateurs spéciaux. Vous serez surpris de noter que des bons clients aiment être considérés comme des conseillers occasionnels. Leur réaction fournit souvent des mises en garde et des encouragements de première importance.

Améliorez un scénario final, dans le feu de l'action

Votre équipe et vous menaient maintenant une campagne d'appels avec confiance. Le scénario final est jugé parfait par tous, mais on relève quelques lacunes après quelques heures ou quelques dizaines d'appels. Les gens insécures sombrent dans la déprime, les agressifs blâment les autres et les incompétents se contentent de faire leur temps.

Aucun scénario conçu en réunion ou en vase clos ne peut prévoir tous les coups et contrecoups potentiels. Seule l'expérience sur le terrain peut fournir une rétroaction (*feedback*) réelle, en temps réel. Par exemple, on apprend qu'un concurrent vient d'entamer une campagne en réaction à la vôtre ; on note que 70 % des clients cibles confondent prix et proportion, etc. Un ajustement mineur s'impose et les gens en place possèdent parfois toutes les informations requises pour redresser la situation.

– **Procédez à une validation initiale** de la nouvelle contrainte auprès des vendeurs ou agents d'appels vétérans et novices. Ce mélange de compétence et d'insécurité permet d'identifier les failles et les forces du scénario. Vous pourrez ainsi y apporter des petits ajustements en temps opportun. Le premier élément d'analyse peut déterminer si le texte est écrit dans un style oral.

– **Faites une première série d'appels tests** auprès de personnes représentatives du public ciblé. Enregistrer systématiquement une vingtaine d'appels facilite la validation du scénario. Vous pouvez réunir certains clients établis qui servent de collaborateurs occasionnels. Évitez de leur offrir une rémunération, qui les induirait à fournir une rétroaction (feedback) biaisée ; imaginez des moyens de compensation sans lien direct avec l'essai.

– **Proposez des ajustements à l'essai** et non une révision fondamentale et finale. Votre gestionnaire ou client mandataire résistera probablement à des demandes d'employés de première ligne. Ces gens d'affaires percevront trop rapidement les retombées financières et temporelles d'un changement significatif.

Mettez de côté votre amour-propre et appliquez une stratégie plus habile !

6 façons de suggérer ou d'apporter des changements à un scénario

1. Baser toute demande sur des données précises (statistiques, compilation de répliques de clients, etc.).

2. Proposer des changements concrets et précis, au lieu de dénigrer le scénario actuel.

3. Réaliser des essais de modification auprès de collègues ou amis.

4. Proposer des ajustements limités et temporaires qui permettent au gestionnaire ou au client mandataire d'accepter, sans risquer le tout pour le tout (un nombre d'essais, des indices de rendement, etc.).

5. Communiquer des suggestions sur un ton de politesse et de collaboration; c'est fou ce qu'on peut obtenir quand on le demande poliment.

6. Souligner son appréciation de tout effort d'adaptation des autres; un petit compliment et un partage du mérite peuvent parfois mener très loin !

Chapitre 4

Section P.R.O.

P.R.O.
Percer, parler, présenter

Partons de quelques principes généraux, question de nous donner un fil conducteur pour réunir l'ensemble des stratégies, tactiques et trucs du métier qui suivent. Ces principes sont simples à comprendre, mais parfois difficiles à accepter.

1er principe
La communication téléphonique se résume à trois mots clés : aplanissement (de la hiérarchie), accélération (du temps) et amplification (des propos et des interprétations).

2e principe
La grande majorité des échanges téléphoniques d'offre et de sollicitation durent entre deux et cinq minutes.

3e principe
L'un des interlocuteurs prendra rapidement la direction (*leadership*) de l'échange.

4e principe
C'est à vous d'assumer le rôle dirigeant (*leadership*).

5e principe
On peut être très persuasif sans manipuler.

Le client s'attend à ce que vous lui présentiez une offre et une conclusion. Ne le décevez pas ! Si vous vous montrez soumis à votre interlocuteur, celui-ci en déduira immédiatement que vous lui donnez le pouvoir de gestion. Cela explique la grande majorité des échecs dès les 15 premières secondes d'un appel. Vous devez être à l'aise avec la notion de persuasion ; elle consiste à aider votre interlocuteur à prendre une décision éclairée et justifiée (de son point de vue). Si vous n'y arrivez pas, posez-vous des questions sur votre avenir dans le métier.

Parler à une boîte vocale

Vous la considérez comme une barrière ? Vous vous sentez prisonnier ? Les boîtes vocales peuvent devenir des alliées de taille, si vous savez exploiter les avantages de ce système de rangement.

Comprendre la logique avantageuse d'une boîte vocale

Cette technologie comporte évidemment des désavantages, notamment l'obligation de résumer votre message dans un temps prédéterminé. Cela devient une contrainte cruelle si vous n'avez pas une idée claire du sujet et du but de votre appel.

Une boîte vocale possède des caractéristiques dignes d'intérêt.

- **Elle retient absolument tout** ce que vous dites.

- **Elle ne pardonne pas** et ne cache absolument rien.

- **Elle écoute mieux que vous ne parlez.** Vous hésitez (signe de nervosité), vous soufflez fort (découragement ou agacement), vous bafouillez (hésitation, nervosité).

Laisser un message clair et priorisable

Songez à la dernière fois où vous avez tenté en vain de comprendre le sujet et le but de l'appel d'un inconnu ; avez-vous effacé le message sans pitié ? Voici quelques suggestions qui peuvent faire de vous un excellent livreur de messages.

1. Présumez que la personne ciblée écoute le message au moment même où vous le dictez.

Bon nombre de gens se servent de leur répondeur ou de leur boîte vocale pour filtrer leurs appels. D'autres en font un outil de gestion du temps. Certains l'utilisent pour étudier la personnalité des gens qui appellent (pensons à des fournisseurs, clients ou sous-traitants qui ont l'habitude de négocier avec finesse). Votre message peut devenir ici une pièce à conviction de votre incompétence, si vous contrôlez mal votre message.

2. Établissez la pertinence de laisser un message dans une boîte vocale.

Dans certains cas, il vaut mieux raccrocher et rappeler plus tard. Pensons à certaines campagnes où une armée d'agents font des appels à partir d'un logiciel qui ne permet pas de gérer individuellement la liste d'appels. Pensons aussi à des appels où l'effet de surprise et de nouveauté est essentiel.

Plusieurs types d'appels peuvent justifier le dépôt de messages dans les boîtes vocales. Quelques critères à utiliser :

- Pouvoir contrôler son temps et sa disponibilité (pour un retour d'appel).

- Pouvoir établir des périodes de disponibilité qui correspondent à celles des personnes ciblées. À quoi bon demander qu'on vous rappelle s'il est probable que ce soit votre boîte vocale qui reçoive le retour d'appel ? Une partie de ping-pong entre boîtes vocales est un sport sans intérêt.

- Avoir en tout temps accès à des documents de référence utiles pour la gestion d'un retour d'appel.

3. Résumez le sujet et le but de votre appel.

Vous pouvez résumer votre message en quelques mots clés, en ajoutant votre nom et votre fonction, ou la dénomination de votre entreprise. Prenez 30 secondes pour résumer votre message en un sujet et deux ou trois verbes.

Une histoire vécue

Un client appelle et laisse un message interminable et décousu dans la boîte vocale d'un fournisseur. Le client déborde du temps imparti pour l'enregistrement et rappelle deux fois de plus pour narrer son roman-fleuve.

Le fournisseur écoute les trois messages deux fois, toujours sans arriver à comprendre le sujet et le but de l'appel. Il convoque deux associés et la réceptionniste pour tenter de décoder le message, sans succès. Il se résout à rappeler son client pour comprendre son besoin. Ce dernier se montre surpris et demande : « Cou-donc, vous n'avez pas reçu mon message ? »

Les explications ont été laborieuses et gênantes, de part et d'autre.

Voici des trucs pour donner à votre message vocal une crédibilité et une force de frappe de calibre professionnel :

- Nommez clairement la personne à qui vous désirez parler. Certains vous diront qu'il vaut mieux commencer par vous nommer ; d'autres suggèrent de commencer par le nom de la personne ciblée. Les deux tactiques sont valables ; vous devez donc recourir à votre jugement, comme le démontre le tableau suivant.

Tactique	Avantage	Désavantage
Je me nomme Alain Untel, de la firme ABC et je désire vous informer de…	– L'interlocuteur peut bien sentir votre présence. – Vous assumez dès le début un certain leadership.	– L'interlocuteur peut se sentir peu respecté et être vexé. – Vous risquez de paraître trop confiant, arrogant.
Monsieur Lemieux, je suis Alain Untel et mon appel a pour but de…	– L'interlocuteur qui entend son nom est plus attentif. – Vous affichez votre respect de la hiérarchie.	– L'interlocuteur peut penser que vous ne le connaissez pas assez. – Vous risquez de paraître trop formel.

- Nommez-vous dès la première phrase, même si vous appelez une personne qui vous connaît très bien, et ce, pour deux raisons : la personne ciblée est peut-être pressée, fatiguée ou enrhumée (on entend moins bien quand on est grippé) ; un intermédiaire peut faire la gestion des appels. À qui retourne-t-on un appel qui dit « Allô Lucie, rappelle-moi ! » ?

- Évitez l'humour et les farces complexes, puisque vous ignorez le contexte dans lequel votre message sera écouté. Un jeu de mots douteux peut créer une crise diplomatique importante.

4. Énoncez le message en articulant très clairement.

La différence fondamentale entre une animatrice radio et vous, c'est que l'animatrice est parfaitement à l'aise de parler dans un micro. Imaginez clairement que la personne à qui vous désirez parler est là, mais qu'elle ne peut pas répondre pour des raisons de confidentialité. Cette façon de faire donne des résultats concrets. Essayez-la, vous noterez une nette amélioration dans la structure et le débit de votre message.

Venons-en au message proprement dit. Comment tout dire en 30 secondes ou moins ? La majorité des répondeurs et boîtes vocales peuvent enregistrer des messages plus longs me direz-vous. Oubliez les statistiques et les arguments de vente des fabricants. La majorité des gens n'écoutent attentivement que les premières secondes d'un message. Résumez le plus possible votre message, à moins qu'il ne s'agisse d'un appel de suivi comportant plusieurs informations et que vous ne puissiez compter sur le courriel ou le télécopieur pour transmettre vos données.

Exemple de message confus

> Bonjour Madame, je suis Alain et je voudrais… euhh… vous contacter dans le but de… pour vous présenter un service de téléphonie très performant qui… vous l'apprécierez certaine-ment… pourrait réduire vos frais et… euh… augmenter le rendement de vos appels. Pourriez-vous me rappeler au (514) 123-2198… Je vais également tenter de vous contacter plus tard… À bientôt madame !

Le même message mieux formulé

> Madame Walker, je suis Alain Smith. Le sujet de mon appel a trait au rendement de vos communications. Mon but est de vous transmettre une offre très avantageuse. Je vais vous relancer en fin d'après-midi. Pour plus de rapidité, contactez-moi au (514)123-2198.

Le second message est nettement plus structuré, sans silence ou hésitation, sans virage et glissade. Le conseiller ou vendeur utilise clairement les mots « sujet » et « but ». Mieux encore, le message prend fin avec le numéro de téléphone, pour une raison qui sera expliquée plus loin.

5. Laissez une indication du moment probable ou souhaité de rappel.

Il suffit souvent d'indiquer clairement le meilleur moment du rappel, de façon à ce que la personne ciblée perçoive son intérêt à être présente et disponible. Vous gagnez donc à formuler ce segment du message en partant du point de vue de la personne contactée.

Exemple d'un message malhabile

[…] Alors je vais tenter de vous contacter plus tard… disons en fin d'après-midi ou demain matin… parce que je tiens vraiment à vous présenter notre nouvelle offre…

Ce même message, mieux formulé

Alors, madame Walker, je vous rappelle entre 16 h et 17 h cet après-midi… vous serez alors en mesure de situer notre offre en fonction de trois nouveaux critères. À bientôt, madame Walker !

Notez encore une fois que ce segment de message est plus bref, plus clair et plus persuasif. Il contient notamment une répétition du nom de la cliente ciblée, démontre un *leadership* poli, précise un moment de rappel, comporte une petite intrigue (les critères), et mieux encore, le recours au temps présent (je vous appelle plutôt que appellerai, maintient l'énergie du désir).

6. Énoncez lentement le numéro de téléphone.

Si on devait faire un reproche à un représentant, un agent d'appels ou à un conseiller, ce serait facile de lui signaler qu'il a prononcé trop rapidement son numéro de téléphone.

Une histoire vécue

Un représentant en fournitures de bureau laisse un message dans la boîte vocale d'un client potentiel. Il termine son appel par une invitation alléchante :

« [...] et, Monsieur Milot, contactez-nous par téléphone dans l'heure qui suit et nous vous accorderons un rabais de 20 % ! Alors contactez-nous, au cinqunquatreundeuxtroisdeuxunneufhuit ! »

Vous avez trébuché sur le dernier mot ? Tant mieux ! Vous savez éviter une très grave erreur : lancer un chiffre interminable et incompréhensible. D'accord, vous connaissez très bien votre numéro de téléphone et êtes franchement fatigué de le répéter. Pourtant, une grande proportion de vos interlocuteurs l'entendent pour la première fois ou n'apprécient pas d'avoir à le déchiffrer. Ils détestent avoir à écouter un message plusieurs fois pour tenter de comprendre votre numéro de téléphone. Voici donc quatre trucs pour faire passer le numéro :

1. **Placer le numéro à la toute fin du message.** Beaucoup d'interlocuteurs cessent d'écouter immédiatement après avoir entendu le numéro.

2. **Ralentir le débit.** Réduire d'au moins 20 % le rythme des propos, afin que l'interlocuteur sache qu'il aura plus de temps pour mémoriser ou noter le numéro.

3. **Mentionner le code régional.** En raison des changements occasionnels de territoires, certains numéros changent de suffixe. Mieux encore, cette tactique suggère que l'entreprise est active sur un grand territoire, ce qui confère une valeur ajoutée à un numéro de téléphone.

4. **Placer deux ou trois silences stratégiques.** À part les scientifiques, la plupart des gens mettent plus de temps et d'effort à mémoriser un nombre qu'un mot ou une phrase. Souvent, ralentir ne suffit pas ; le recours à de brefs silences est une tactique efficace.

Lisez l'exemple qui suit à haute voix :

Méthode habituelle sans silences	Méthode plus efficace, incluant des silences
Cinq-un-quatre-un-deux-trois-deux-un-neuf-huit	Cinq-un-quatre... (mini-pause) un-deux-trois... (mini-pause) deux-un-neuf-huit

Une variante : mettre un silence plus long après l'indicatif régional.

Deuxième variante : prononcer les mots « code régional », avant de nommer les chiffres.

Troisième variante : prononcer le code régional sur un ton plus discret, plus doux que le reste.

Utiliser les trois variantes en même temps crée un effet remarquable.

5. **Répéter le numéro.** Les gens doutent parfois de leur compréhension d'un chiffre, surtout si vous l'articulez mal et le lancez à toute vitesse. Ils doivent alors se taper une deuxième écoute du message entier pour valider le numéro. Gageons qu'ils profitent de ce temps perdu pour détester votre attitude. La répétition est une technique malhabile dans les échanges en magasin, mais utile et appréciée par téléphone.

Exercice

**Énoncez à voix haute les deux versions
de ce même numéro.**

Premier énoncé du numéro

Cinq-un-quatre...
un-deux-trois...deux-un...
neuf-huit

Répétition de l'énoncé

Cinq-un-quatre...
un, deux, trois...
vingt et un...
quatre-vingt-dix-huit

Au lieu de choisir la meilleure façon de faire, utilisez-les toutes les deux. Vous offrez alors à votre interlocuteur deux façons de mémoriser le numéro. Il notera votre capacité à tenir compte de ses besoins et contraintes. Votre crédibilité augmente ; votre potentiel de vente également.

Respecter les réceptionnistes et secrétaires

L'une des erreurs fréquentes commises par plusieurs débutants trop nerveux (et par certains vétérans trop confiants !) consiste à traiter les réceptionnistes et secrétaires comme des obstacles ou des ennemis. On tente de les contourner, de les manipuler, de les contrecarrer. On essaie parfois de les impressionner ou de les séduire.

Une histoire vécue

Un représentant d'expérience s'adresse de façon cavalière à une jeune réceptionniste d'une entreprise en haute technologie, suivons l'histoire :

Représentant : « Passez-moi le directeur général. »

Réceptionniste : « De la part de qui, s'il vous plaît ? »

Représentant : « C'est Fred, passez-moi Alain. »

Réceptionniste : « Puis-je savoir le propos ? »

Représentant (sur un ton agressif) : « Vous êtes qui, vous ! ? »

Réceptionniste (sur un ton très calme et souriant) : « Celle qui peut vous aider, monsieur, en quoi au juste ? »

Soulignons que la réceptionniste a gardé le même ton. Elle est en situation de contrôle et son interlocuteur le sait bien. Elle vient de démontrer la différence entre la hiérarchie et le pouvoir. La première a besoin d'une structure et le second ne requiert qu'une bonne attitude.

Voici quatre suggestions pour éviter de transformer ces modestes intermédiaires en de puissantes adversaires.

1. **Elles peuvent être d'habiles alliées** si vous leur parlez en tenant pour acquis qu'elles sont professionnelles et que vous leur devez le respect. Au lieu de dire « Passez-moi la directrice des achats », dites plutôt « Pouvez-vous m'aider à entrer en communication... » Au lieu de dire « Merci », dites plutôt « J'apprécie beaucoup ! ».

2. **Elles ont l'habitude d'écouter** et peuvent déceler la moindre intonation, la plus petite hésitation ou tentative de manipulation. Si vous tapez au clavier en parlant, elles le savent. Si vous remuez du papier nerveusement, elles l'entendent. Si vous grimacez, elles le sentent probablement ! Sachez que ces professionnelles maîtrisent l'art de la perception et de la transmission d'information à leurs gestionnaires.

3. **Elles savent filtrer les appels et bloquer les intrus** de façon subtile et ferme. Si vous n'avez pas réussi à vous rendre crédible lors de votre première demande, il y peu de chances de réussir en insistant. Vous gagnez à être aussi (sinon plus) poli avec elles qu'avec leurs patrons.

4. **Elles sont là en permanence** alors que votre présence ne dure que quelques secondes. Si vous leur manquez de respect, elles peuvent en aviser immédiatement la personne concernée par votre appel. Vous payez cher une tentative de manipulation ou d'intimidation.

Au lieu de dire	Dites plutôt
Passez-moi Aline...	**Êtes-vous en mesure de me transférer... ?** **Puis-je compter sur vous pour... ?**
OK !	**Merci, madame !** **Merci beaucoup.** **J'apprécie votre aide.**
C'est René	**Je m'appelle René Champoux.**
La directrice est-elle là ?	**Madame la directrice est-elle présente ?** **La directrice peut-elle prendre un appel ?**
Pas nécessaire de vous expliquer le pourquoi de mon appel, je le dirai à la directrice.	**Certainement, c'est au sujet de votre système de production Juste-à-temps.**
Écoutez, madame c'est important !	**Madame, je vous résume le sujet et vous laisse décider de la pertinence...**

Les propos de la colonne de droite présentent le défaut apparent d'être plus longs et plus dociles, ce qui ne doit pas plaire aux vendeurs qui veulent aller rapidement droit au but. Quelques secondes de politesse vous rapporteront deux avantages concrets :

1. Vous installez un climat de collaboration et prolongez cet élan de confiance avec l'interlocuteur final concerné.

2. Vous établissez votre bonne réputation.

Une histoire vécue

Un vendeur (appelons-le Marc) voulait déposer une offre de service auprès d'un gestionnaire réputé difficile d'accès. Il adresse l'offre directement à la réceptionniste, lui disant, par téléphone, qu'elle recevrait bientôt une enveloppe à son nom.

La lettre contenait un message qui disait sommairement : « Nous respectons votre rôle de tri et de priorisation de documents. Si notre offre vous semble valable, pouvons-nous compter sur vous pour la transmettre à votre collègue, monsieur Untel ? »

Vous avez noté l'utilisation du mot « collègue » et non « patron » ? Si oui, vous avez saisi que cette tactique vise à renforcer le pouvoir opérationnel de la réceptionniste. Trois questions dont les réponses sont oui :

1. D'après vous, l'offre de service est-elle parvenue à monsieur Untel ?

2. L'offre de service était-elle placée sur le dessus de la pile de documents transmis ?

3. La réceptionniste avait-elle pris la peine de placer un petit mot à propos de l'offre en transmettant la pile de documents ?

Parler à un intermédiaire

Pour aller à l'essentiel, rappelons encore le caractère aplanissant de la communication téléphonique. Il n'y a que peu ou pas de hiérarchie formelle par téléphone, puisque de part et d'autre on ne peut y percevoir l'âge, la fonction ou le pouvoir de la personne à qui on parle.

Tirez avantage de cette dynamique d'équilibre pour entretenir des rapports égalitaires avec toute personne qui se trouve sur le chemin menant à celui que vous voulez persuader !

Tout intermédiaire parlera plus souvent (et plus longtemps) que vous à la personne concernée. Pourquoi prendre le risque d'en faire un adversaire ?

Traduisons ces notions en propos et comportements pratiques. Parmi les suggestions suivantes, retenez celles qui vous semblent les plus faciles à mettre en pratique, et utilisez-les dans l'heure qui suit !

Au lieu...	Dites ou faites plutôt
De demander à un adjoint de vous passer son patron...	Offrir de lui faire un résumé de votre message.
D'identifier le client comme « votre patron, votre supérieur, votre gestionnaire »...	Utiliser le mot « votre collègue ».
De tenter de parler seulement au patron...	Proposer une conférence téléphonique à trois.
De parler à l'intermédiaire sans le nommer...	Répéter au moins deux fois son nom complet.
D'entamer l'entretien avec votre client sans mention de l'intermédiaire...	Commencer l'entretien en mentionnant l'aide de l'intermédiaire.

Vous avez tiqué à la suggestion de proposer une conférence téléphonique ? Dommage, car la tactique est très souvent d'une grande efficacité : l'intermédiaire déclinera presque toujours l'invitation (pour des raisons de disponibilité, de hiérarchie interne ou de technologie), mais sera très favorablement impressionné par votre témoignage de respect. Vous aurez en quelques secondes transformé un adversaire potentiel en allié respectueux. Gageons que l'intermédiaire vous accueillera avec empressement quand vous rencontrerez votre client. Imaginez l'effet que cela produira sur vos deux concurrents assis à vos côtés dans la salle d'attente du client ! La vie est belle, quand on s'applique à la rendre belle !

Parvenir jusqu'à la personne contactée et se présenter

Un légendaire entraîneur sportif disait quelques secondes avant la fin d'une partie que son équipe paraissait destinée à perdre : « La partie n'est pas terminée tant qu'elle n'est pas terminée ! » (Note : l'équipe a marqué un but à la dernière seconde de jeu.)

Un vendeur ou conseiller futé modifie un peu la phrase : « La partie commence avant de commencer ! » En d'autres mots, votre présentation commence avant que votre interlocuteur ne décroche le combiné. De plus, vous pouvez perdre des points avant même d'avoir réellement commencé.

Voici six principes et tactiques utiles sur la ligne de départ. Vous gagnez à présumer que la personne concernée :

1. **A changé de numéro de téléphone** ou de numéro de poste téléphonique.

2. **Vient tout juste d'être mutée,** d'obtenir une promotion ou a quitté l'entreprise. Dans les grandes organisations, ce type de mouvement interne est constant. Peu de vendeurs peuvent se relever avec élégance après avoir demandé : « Puis-je parler à Monsieur Touré ? » et s'être fait répondre : « Monsieur Touré ne travaille plus ici depuis un mois... »

3. **Vient d'avoir un vif échange sur un sujet sans lien avec le vôtre.** La personne que vous désirez joindre est certainement occupée (préoccupée) par d'autres sujets. Elle aura possiblement un peu de difficulté à se recentrer immédiatement sur votre sujet !

4. **N'est pas en mesure de parler librement** au moment de votre appel. Il peut y avoir d'autres personnes dans son bureau, elle est au milieu d'une discussion, etc.

5. **Est de mauvaise humeur ou se trouve dans des mauvais draps.** Elle aura alors tendance à traîner dans sa tête des échos de son récent échange.

6. **Ignore ou ne se souvient pas de votre nom** ou de votre entreprise. Votre présomption de complicité est naturellement élevée, sinon vous ne seriez pas vendeur, agent ou entrepreneur ! Le ton complice de votre voix pourra vexer un client qui n'arrive pas immédiatement à situer votre nom ou votre entreprise.

Percevoir l'environnement de la personne

Un entretien téléphonique prend son élan dès que votre interlocuteur décroche le combiné. La demi-seconde entre ce moment et celui où vous entendez sa voix peut vous fournir une multitude de renseignements très utiles, si vous êtes assez attentif pour percevoir les sons et bruits qui meublent son environnement.

Vous trouverez dans la liste ci-dessous des informations particulièrement utiles pour peaufiner votre présentation dans le feu de l'action.

Petits sons et bruits informatifs dans un milieu d'entreprise...	et leurs significations probables
Sons de clavier d'ordinateur	La personne est occupée, mais probablement seule devant l'appareil (vous avez probablement du temps).
Sons de plusieurs claviers d'ordinateurs	La personne travaille probablement dans un endroit ouvert (elle est possiblement de grade intermédiaire, donc sans pouvoir décisionnel ou presque).
Bruits de machines électroniques (photocopieur, etc.)	La personne est susceptible d'avoir une difficulté de concentration (vous risquez de la déranger).
Bruits de machinerie mécanique	La personne travaille près des machines (sa perception des problèmes, contraintes et besoins est probablement assez forte et précise : tant mieux).
Sons de plusieurs voix douces	La personne est peut-être en réunion ou travaille dans un endroit ouvert (dans les deux cas, vous devrez être très clair et valider souvent sa compréhension).
Sons de voix plus fortes	Il y a peut-être un problème urgent ou important sur les lieux (préparez-vous à être coupé ou à un déplacement de l'appel).
Bruits d'autos ou de trafic routier	S'il fait chaud, l'endroit n'a pas de climatiseur, ou il est en panne (si vous vendez ces systèmes, vous êtes la bonne personne, au bon endroit, au bon moment).

Petits sons et bruits informatifs dans un milieu résidentiel...	**et leurs significations probables**
Sons d'un bébé qui crie ou qui pleure	Probabilité de distractions multiples (prévoir un conseil parental, ou proposer un rappel).
Sons de préparation de repas (moulinette, cuillères sur métal, etc.)	Valeurs de famille, de partage et de sécurité (ajuster quelques arguments de présentation).
Sons d'un poste de radio	Si c'est de la musique (indication probable de l'âge et du style de vie de la personne). Si ce sont des paroles (la personne aime peut-être se tenir au courant des idées nouvelles).
Sons d'un téléviseur	Selon le type d'émission (la personne aime être informée, distraite, rire, etc. De plus, elle aimera peut-être plus les paroles imagées).
Bruits d'une fête	Probabilité d'un certain degré de chaos, de spontanéité et de « farces plates » (rire de bon cœur si on vous insulte, prévoir des farces et jeux de mots pour demeurer en ligne, et partager un peu l'esprit de la fête).
Bruit d'autos ou de klaxon	La personne est peut-être sur le point de recevoir de la visite et de partir (prévoir un rappel).

C'est fou ce qu'une seconde ou deux fournissent comme renseignements, quand vous êtes vraiment attentif. Parlez-en à des photographes animaliers en forêt. Le moindre son les oriente et les guide vers la photo de l'année.

Maintenant que vous êtes super attentifs aux petits sons et bruits qui précèdent immédiatement l'entretien, vous pouvez recueillir beaucoup d'autres données contenues dans la façon avec laquelle la personne répond.

Propos et intonation	Explications possibles
Oui, allôôô...	La personne est peut-être fatiguée ou stressée (évitez de ralentir aussi, commencez sur un rythme moyen puis accélérez graduellement).
Oui, bonjour! (Sur un ton sec et neutre.)	La personne est possiblement habituée à prendre des décisions et à communiquer des directives (préparez-vous à des objections et à des mises en échec; évitez d'afficher un leadership formel).
Carole Desève à l'écoute. (Sur un ton calme mais avec un débit rapide.)	La personne est probablement très occupée et bien organisée, car les gens mal organisés deviennent nerveux en accélérant (faites une offre précise et calme, sur un ton poli mais avec un rythme assez soutenu).
Service des ressources humaines, monsieur Smith à l'écoute. (Sur un ton poli, très bien articulé, mais avec un net accent anglais.)	L'interlocuteur est très bien structuré est probablement très attentif au sens des mots (les bilingues savent que des mots identiques peuvent avoir un sens différent selon la langue). (Évitez d'utiliser des expressions colorées ou des tournures locales, au profit d'un langage plus neutre et validez souvent la compréhension.)

Vous doutez du pouvoir de ces petits bruits et de ces petites intonations? Vous avez raison. On risque de se tromper en interprétant des propos fragmentaires ou en refusant de les interpréter. Disons qu'on vous ordonne de tomber, en vous offrant le choix de basculer vers l'avant ou vers l'arrière. Gageons que vous opterez pour tomber vers l'avant, pour voir venir le sol et pour parer le coup le plus possible. Appliquez la même logique ici. Si vous vous trompez un peu au départ, vous pourrez peaufiner votre analyse par la suite.

Percer, positionner l'offre, provoquer une réponse (réaction)

Prononcer en premier le nom de qui au juste ?

Si vous voulez être témoin d'un très vif échange entre vendeurs de talent, invitez-les à discuter d'un sujet apparemment anodin. On se présente en premier sous son nom, ou on valide celui de la personne concernée ? Prenez alors place à une distance respectable des experts, car l'échange se corsera. Vous constaterez qu'il n'y a pas de principe universel sur le sujet. Notez les deux options, puis utilisez celle qui semble convenir à votre personnalité, au contexte d'appel et à la culture d'entreprise où travaille la personne concernée.

Phrase typique	Avantage	Contrainte
Bonjour, je désire parler à Monsieur Garnier, le directeur de production…	L'interlocuteur sait tout de suite à qui s'adresse l'appel.	On peut vous demander de vous identifier et de fournir la raison de votre appel, ce qui vous met sur la défensive.
Bonjour, je suis Ginette Fravelle, de ABC inc. Est-ce que monsieur Garnier peut recevoir mon appel ?	Votre interlocuteur perçoit un lien naturel entre vous et la personne visée.	La réceptionniste ou l'intermédiaire peut dire non et vous perdez votre élan.

Vérifier si cette personne est LA personne !

Par définition, les vendeurs, entrepreneurs et représentants sont des gens optimistes qui aiment entendre le son du vent dans leurs oreilles. Le seul petit (et fréquent) problème est que ces optimistes présument être arrivés à bon port même s'ils sont encore en haute mer.

Une histoire vécue

Représentant : « Bonjour ! Je suis Albert Fenstein et je voudrais parler à Mme Helen Jones, directrice des achats… »

Réceptionniste : « Je vous mets en contact avec elle... »

Vous : « **Bonjour madame Jones, je vous relance à la suite de notre entretien d'hier dans le but...** »

Interlocuteur (voix masculine) : « Je ne suis pas Mme Jones... »

En offrant vos excuses vous paraissez mal organisé (mauvais départ). Il vous suffit de vérifier le nom de la personne à qui vous pensez parler.

Exemple de validation initiale ☎

Représentant : « Bonjour ! Je suis Albert Fenstein et je voudrais parler à Mme Helen Jones, directrice des achats... »

Réceptionniste : « Je vous mets en contact avec elle... »

Vous : « **Bonjour, madame Jones ?** »

Interlocutrice : « Oui. »

Vous : « **Bonjour ! Je suis Albert Fenstein et je...** »

Si vous estimez que la différence entre ce dialogue et le précédent est mineure, vous commettez deux erreurs :

1. Vous avez oublié de tenir compte du caractère amplifiant de la communication par téléphone. Même en présumant que vous parlez à madame Jones, vous risquez de paraître trop agressif en laissant vos propos prendre toute la place. Votre interlocutrice notera presque certainement non pas votre enthousiasme, mais votre penchant à dominer les autres. Mauvais départ !

2. Vous n'avez pas noté que le tout premier mot de madame Jones est « Oui ». Tout représentant devrait considérer ce « oui » comme un excellent point de départ !

Se présenter, mais sous quel nom ?

Compte tenu de la nature même de la communication par téléphone, vous devez songer attentivement à deux grandes options pour vous nommer.

1. **Utilisez seulement votre nom de famille.** Dire « Ici madame Charron » comporte une certaine élégance, une certaine confiance.

2. **Présentez vos nom et prénom.** Dire « Ici France Charron » évoque une prestance teintée de complicité.

> **Une histoire vécue**
>
> Un conférencier invité en Beauce a été présenté à plusieurs intervenants, dont l'organisateur qui affichait la belle attitude beauceronne. Le Beauceron a dit « Bonjour, monsieur Marc, je suis Jean Breton. » Le conférencier a tout de suite pris bonne note du subtile mélange de politesse (« monsieur »...) et de familiarité entrepreneuriale (« Jean »). Ajoutons que cet organisateur a payé la facture de la messagerie en 24 heures, en disant « Ce n'est pas une grève des postes qui empêche un Beauceron de payer ses dettes ! » Plus de 10 ans plus tard, le conférencier se souvient clairement de la rencontre. Quand les propos et les gestes se complètent, on s'en souvient.

Mentionner son titre ou poste

On peut argumenter longtemps sur la théorie et les principes. En regardant le tout sur le plan opérationnel, les choses deviennent plus simples et plus subtiles.

- Si votre titre ou votre fonction est immédiatement synonyme de compétence technique ou de pouvoir décisionnel, utilisez-le. Au lieu de dire : « Je suis France Charron... », dites plutôt « Je suis France Charron, principale associée chez ABC inc. »

- Si votre titre ou votre fonction paraît modeste, il peut être dans votre intérêt de le taire, au profit de votre rôle au sein de votre entreprise. Dites : « Je suis France Charron, gestionnaire des nouveaux dossiers chez ABC inc.» Le client concerné vous percevra comme une personne «en charge de quelque chose» et non comme un employé ou fonctionnaire sans responsabilité et sans pouvoir.

Mentionner le nom de l'entreprise

Commençons ici par deux très importantes mises en garde, pour vous éviter de partir en orbite autour de la mauvaise planète. Les stratégies et techniques décrites ci-dessous doivent être nuancées en fonction des mises en garde suivantes:

1. **Mise en garde à l'intention des centres d'appels.** Les entreprises de ce secteur sont encadrées par des lois, normes et procédures sectorielles. De plus, chaque centre d'appels possède son propre règlement. Vos gestionnaires vous déconseilleront certaines techniques, ou les ajusteront aux normes et aux valeurs de l'entreprise.

2. **Mise en garde à l'intention des représentants autonomes ou semi-autonomes.** Vous devez examiner les techniques proposées ci-dessous avec grand soin. Votre façon de nommer votre entreprise a un effet immédiat et durable sur vos interlocuteurs. Les techniques proposées gagnent à être peaufinées plusieurs fois. De plus, vous devez éviter de contrevenir aux lois, notamment celles sur la protection des consommateurs et sur les pratiques commerciales. Chaque gouvernement (fédéral, provincial et municipal) a des règles et des normes. Vérifiez votre technique auprès d'un notaire ou d'un avocat spécialisé en droit commercial. Une erreur de bonne foi demeure une erreur.

Aussi curieux que cela puisse paraître, il n'est pas nécessairement utile de nommer votre entreprise. Si votre entreprise possède un nom et une réputation dignes de confiance, et qu'elle offre des produits ou services en forte demande, vous gagnez évidemment à mentionner cet atout!

Présumons un instant que votre entreprise possède un nom qui est immédiatement associé à un produit ou à un service particulier tel que « Services de conciergerie ABC inc. » et que vous faites une série d'appels de sollicitation auprès de nouveaux clients de PME.

Exemple de mention peu productive ☎

> Vous (sur un ton confiant) : « **Bonjour, je suis Anatole Bocoum... Je vous appelle pour Services de conciergerie ABC inc. et j'aimerais...** »
>
> Client potentiel (sur un ton assez sec) : « Nous avons déjà un fournisseur qui convient bien ! »
>
> Vous (encore confiant) : « **Je comprends... et vous pourriez être surpris par les économies de temps que notre nouvelle technologie...** »
>
> Client potentiel (sèchement et sur un ton monocorde) : « Je répète, nous sommes présentement très bien servis et avons un contrat ferme de deux ans. »
>
> Vous (visiblement décontenancé) : « **Oui mais... Euhh...** »
>
> Client potentiel : « Clic-mmmm... »

Dans ce cas, le solliciteur a littéralement fourni au client potentiel une raison (ou un prétexte) pour raccrocher. L'interlocuteur a entendu les mots « services de conciergerie » et a immédiatement formulé son « non » en partant de ces termes.

Le travail de sollicitation ou d'offre requiert une relation interpersonnelle flexible. Vous gagnez assez souvent à présenter non pas le nom de votre entreprise, mais plutôt à énoncer le type d'entreprises ou le genre de produits ou services offerts.

Exemple de mention plus productive dans certains cas ☎

Vous (sur un ton confiant) : « **Bonjour, je suis Anatole Bocoum... Je suis spécialiste dans le secteur des services aux PME qui considère la propreté comme un facteur de qualité...** »

Client potentiel (avec une réticence teintée de curiosité) : « Dites-moi ce que vous voulez proposer. »

Vous (encore confiant) : « **Vous pouvez recevoir de notre entreprise spécialisée des services de conciergerie certifiés ISO et mieux contrôler la propreté dans vos salles d'assemblage de haute précision !** »

Client potentiel : « Euhh... Je ne suis pas certain qu'on ait besoin de services externes en ce moment... »

Vous (plus confiant, vous prolongez la phrase) : « **...parce que ça vous prendrait une bonne raison et des données dignes de confiance. Alors vous apprécierez de savoir...** »

Client potentiel : « ... » (ceci est le son d'un interlocuteur qui continue à écouter)

Dans ce cas, le solliciteur a aidé son interlocuteur à réfléchir à une situation, à songer aux avantages potentiels de ses services. À preuve, celui-ci hésite à fermer la porte à la discussion. Mieux encore, il termine son hésitation avec « en ce moment », mots qui entrouvrent la porte à une négociation.

Présenter un produit, un service, une demande

Avant d'entamer cette section, vous avez avantage à vous rappeler la formule P.R.O. (**P**résenter et progresser, **R**elancer et rebondir, **O**btenir un OK).

Relisez le début du chapitre 3. Si vous appréciez cette façon de résumer les choses, vous voudrez consulter le livre *Présenter mes projets et services avec brio* (du même auteur, Éd. Transcontinental).

Bien entamer le premier mouvement (Présenter) réduit le besoin de recourir au deuxième (Relancer), et augmente le degré de rendement du dernier (Obtenir un OK final).

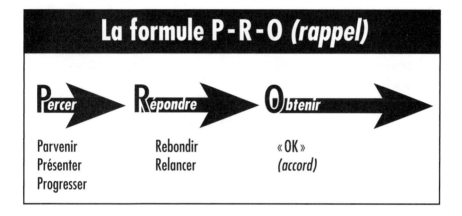

Distinguer persuader de manipuler

Soyons réalistes, la manipulation est une stratégie efficace à très court terme. Vous pouvez manipuler un client sans qu'il s'en rende compte sur le coup, mais sa colère, ainsi que ses recours judiciaires, seront proportionnels au temps qu'il mettra à s'en rendre compte.

Vous gagnez à persuader ouvertement votre interlocuteur. Sa décision finale sera éclairée, et il agira de façon responsable par la suite, même si un problème survient. Le truc consiste à distinguer l'influence de la manipulation.

Persuader consiste à :	Manipuler revient à :
...**éclairer** le **jugement** de votre interlocuteur, pour qu'il prenne sa décision.	...**confondre** le **jugement** de votre interlocuteur pour imposer **votre** décision.

Si vous utilisez des mots synonymes du verbe éclairer (faciliter, accélérer, orienter, soutenir, voire « obliger », etc.), vous récolterez beaucoup plus d'ententes que de plaintes. Par contre, si vous utilisez des tactiques synonymes du verbe confondre (alourdir, compliquer, interdire, empêcher, etc.), vous aurez probablement davantage de plaintes que de ventes. Alors mettez-vous en mode persuasion et foncez ; vous irez loin !

Choisir la bonne approche de présentation

La présentation est davantage un art qu'une science. Cela signifie que vos idées peuvent être tout aussi bonnes que celles des spécialistes, à condition qu'elles donnent de bons résultats.

Voici six des grandes écoles de pensée sur l'art de la présentation, suivie de celle que nous vous proposons. Chacune de ces façons doit s'harmoniser avec votre scénario. (Voir la partie Scénario du chapitre 3 du présent ouvrage.)

1. L'approche de la relation

Partons du principe que nous devons d'abord établir un rapport ou un rapprochement émotionnel, pour créer une ambiance de confiance. Nous pouvons ensuite présenter une offre. Cela fonctionne bien quand le produit ou service est d'ordre personnel, mais peut être problématique quand il s'agit de vendre à une personne de sexe ou d'âge différent, à des personnes de nationalité ou de culture différente, à des gens d'affaires habitués à négocier fermement.

2. L'approche du sport

Présumons que chacun s'occupe de ses intérêts et tente de déjouer les résistances de l'autre. Cette vision peut être efficace avec des clients de longue date ou des clients d'affaires expérimentés.

3. L'approche de la douce pression

Nous croyons que la présentation doit créer un élan ou un mouvement dans lequel nous tentons de situer l'échange. La pression peut être de très douce et subtile à très forte et constante. Cette façon de voir est encore populaire, malgré ses résultats mitigés, en plus de générer des plaintes et des complications après-vente.

4. L'approche de la négociation

Nous acceptons que chacun fasse des concessions conscientes et volontaires dans le but d'arriver à une entente équilibrée. Cela fonctionne très bien dans des cas où la vente représente une forte somme d'argent et une relation d'affaires étalée dans le temps (services de soutien, technologie de pointe, etc.).

5. L'approche de l'argumentaire

Nous sommes convaincus que le processus de persuasion possède une dynamique rationnelle où les arguments logiques prennent une place importante. Cela fonctionne bien avec des interlocuteurs qui manient habilement les concepts et valorisent les idées (ingénieurs, technologues, avocats, gestionnaires techniques, etc.).

6. L'approche caractéristique – avantage – bénéfice

Cette façon de faire est actuellement l'une des plus répandues, car elle s'aplique à la grande majorité des situations et peut s'ajuster à chaque interlocuteur. Plusieurs ouvrages, notamment d'Alain Samson et de Camille Roberge, publiés par les Éditions Transcontinental l'abordent.

Cette façon de présenter et de persuader figure parmi les plus populaires, en raison de l'élan qu'elle présente. On tient pour acquis que les gens prennent une décision en trois étapes : prendre connaissance des **caractéristiques** du produit ou du service ; noter les **avantages** ou les atouts qu'il offre ; percevoir ou ressentir les **bénéfices** ou le bienfait qu'ils retireront de l'achat.

Exemple portant sur un nettoyeur sans eau pour employés d'usine

Caractéristiques	Ce produit respecte les **normes** internationales de sécurité et peut être **livré** en **12 heures,** en tout temps....
Avantages	...alors vous **réduisez ainsi vos stocks en inventaire...**
Bienfaits	...ce qui contribue au **rendement** de votre entreprise.

Cette logique est claire à mémoriser et réunit une panoplie de tactiques en trois grands volets. Cependant, cette formule comporte deux failles potentielles pour les débutants ou pour ceux qui font de la vente de façon occasionnelle. On confond souvent les notions d'avantages et de bénéfices.

1. La présentation part toujours des caractéristiques du produit ou du service. La formule CAB oblige à présenter les caractéristiques en premier lieu. Cela convient aux interlocuteurs qui apprécient les détails techniques, mais ne convient pas à ceux qui prennent leurs décisions en fonction de résultats ou de certains principes.

2. On confond souvent les notions d'avantages et de bénéfices. Le client a souvent l'impression qu'on présente deux avantages ou qu'on insiste trop.

Nous vous proposons donc quelques ajustements à cette approche fort valable.

1. Percevez la formule CAB de façon moins rigide et plus dynamique.

Formule CAB	Ajustement proposé	Exemple
Caractéristique	Ce que c'**est**	Données liées au présent immédiat (décrire concrètement des aspects du produit ou service)
Avantage	Ce que ça **permet** ou facilite	Impact ou changement lié au présent immédiat du client (présenter un avantage évident qui justifie l'achat)
Bénéfice	Ce que ça **signifie**	Résultat ultérieur connexe lié au futur et à un avantage plus grand pour le client (ou pour d'autres personnes, ou pour son entreprise/maison)

2. Utilisez la formule CAB dans l'ordre qui semble le plus productif. Tenez compte du profil des gens concernés, de l'attrait relatif des trois composantes et des connaissances sur le produit ou service.

Ces ajustements permettent d'apporter aux présentations une touche personnelle. Ils aident aussi à demeurer souple et créatif dans les stratégies. Passons tout de suite à des exemples.

Trois variantes d'une même offre (suite de l'exemple précédent)	
Caractérisque-Avantage-Bénéfice	Ce produit respecte les normes internationales de sécurité et peut être livré en 12 heures en tout temps. Alors vous réduisez ainsi vos stocks en inventaire, ce qui contribue au rendement de votre entreprise !
Bénéfice-Avantage-Caractéristique	Pour contribuer au rendement de votre entreprise, nous vous offrons l'avantage d'un savon sans eau, livraison juste-à-temps... produit sanitaire qui correspond aux normes internationales.
Avantage-Caractéristique-Bénéfice	Si vous appréciez les avantages d'un approvisionnement rapide, vous aimerez notre système juste-à-temps et la certification de conformité aux normes internationales de notre **savon sans eau**, parce que la propreté de vos produits et emballages est un important facteur de crédibilité.

Vous aimez davantage l'une de ces variantes ? Parfait ; vous comprenez que vos clients ont leurs propres préférences en ce qui a trait à leur processus décisionnel.

3. Faites des essais de présentation pour déterminer l'agencement le plus efficace. Votre préférence personnelle pour une séquence particulière n'est peut-être qu'un penchant et une crainte face à un agencement autre. (Voir la partie Scénario du chapitre 3 du présent ouvrage.)

Diviser le message en sections simples et séquentielles

Pour que votre interlocuteur suive facilement votre présentation, fournissez-lui un cadre de référence clair. Une méthode simple consiste à séparer votre message en séquence.

Propos sans forme apparente	Mêmes propos, plus structurés
Vous savez, madame Smith, nos services en inspection sont reconnus par l'association provinciale ; mieux encore nous avons une liste de références et vous pourrez évidemment vous prévaloir de notre garantie de remboursement sans pareil dans l'industrie !	**Madame Smith, vous apprécierez trois facteurs sécuritaires de nos services :** premièrement **nous sommes accrédités sur le plan provincial…** deuxièmement **vous pouvez examiner notre liste de références ;** troisièmement **vous avez l'assurance d'une garantie écrite dans un langage clair.**
Monsieur Fredette, notre offre comporte plusieurs avantages : la sécurité des données informatiques, la disponibilité de cinq agents d'appels dans notre Centre de service, une mise à jour des nouvelles versions deux fois par année… Le soutien et le suivi sont deux éléments importants de notre réputation d'excellence qui se maintient depuis 10 ans en région.	**Excellent,** monsieur Fredette, vous êtes **soucieux** du **soutien** et du **suivi en services informatiques.** Voici **trois facteurs qui vous plairont…** Vos données seront **encodées** pour une **sécurité optimale…** Vous recevez **deux mises à jour par année…** Vous pouvez parler **directement en tout temps** à l'un de nos **cinq** agents d'appels.

Vous avez été surpris de la longueur et du manque de structure du second énoncé (à gauche), notamment la dernière section qui attire toute l'attention et le mérite sur soi et non sur le client ? Vous avez du talent !

Valider la compréhension de l'interlocuteur

Votre interlocuteur n'a pas toujours le temps (et le goût) de prendre des notes ; vous gagnez à vérifier son attention.

Exemples de non-validation et de mini-validations ☎

— Offre non validée

Vous : « **Vous recevrez par poste régulière ce léger et robuste sécateur qui devrait arriver jeudi ou vendredi. Vous pouvez aussi, si vous le désirez, madame Therrien, opter pour une livraison express garantie deux jours, pour seulement 5 $ de plus. Cela vous ferait gagner trois jours de délai, ce qui serait bon, compte tenu que la saison d'horticulture est bien avancée ! »**

Cliente : « Je... euh... Écoutez ça ne presse pas tant que ça... C'est combien le prix de base à nouveau ?... »

Vous : « **Les frais par poste régulière sont de 2 $, avec un délai d'environ quatre à cinq jours... Par contre, si vous optez pour la livraison garantie deux jours... »**

Clients : « Vous allez encore et toujours trop vite ! »

— Même offre, incluant une validation

Vous : « **Vous recevrez par poste régulière ce léger et robuste sécateur qui devrait arriver jeudi ou vendredi. Désirez-vous le recevoir plus rapidement ? »**

Cliente : « Si possible oui. »

Vous : « **Excellent ! Je vous l'envoie par courrier express pour seulement 5 $ et vous le recevez mardi. C'est bon ? »**

Cliente : « Oui. »

Vous : « **Cela fait un total de 32,95 $ et votre saison d'horticulture sera plus agréable, madame Therrien. »**

Cliente : « Merci beaucoup ! »

Avez-vous noté que la validation a permis d'aller plus vite et plus loin, et ce, sans brusquer ou manipuler la cliente? Les petites validations permettent d'aplanir les soubresauts de communication, d'accélérer l'échange et d'amplifier la satisfaction des interlocuteurs. Ces rapides validations établissent une relation de confiance et d'entraide proche de la complicité.

Mentionner le prix

Beaucoup d'entre vous souffrez d'une maladie honteuse qui s'appelle «prixphobie». On reconnaît cette maladie à ses symptômes: le représentant éprouve une difficulté évidente à prononcer un prix ou une somme. Sa bouche et sa langue s'épaississent, s'alourdissent au point où l'interlocuteur ne parvient pas à comprendre le montant.

Exercice pratique

Lisez immédiatement et à voix haute la phrase suivante: «Cette légère perceuse électrique sans fil vous est offerte à seulement **transèdella** madame.»

Vous n'êtes pas parvenu à prononcer clairement *trente-sept dollars*? Bon nombre de débutants et trop de vétérans craignent de prononcer le prix. Ils se disent: «Si je prononce la somme assez rapidement et assez confusément, le client n'aura pas le temps de réagir.» Vous aurez plus de facilité à éviter cette maladie qu'à vous en sortir.

— 1RE ÉTAPE

Considérez l'argent comme un élément parmi d'autres. Vous êtes à l'aise de mentionner toutes sortes de renseignements relatifs à votre produit ou service: la qualité, les formats, le poids, la garantie, les délais de livraison, la sécurité, etc. Pourquoi considérez-vous le prix comme la principale (sinon la seule) cause de ventes ratées? Pourquoi avez-vous peur de perdre une vente en raison du prix seulement? Pourquoi manquez-vous de confiance dans la qualité, la disponibilité et les avantages de vos produits ou services?

Le prétexte le plus fréquemment utilisé consiste à dire : « Le client ne veut que des bas prix… » La raison la plus souvent cachée consiste à avouer : « Je manque de confiance dans le rapport/qualité prix de mes services ou produits. » Laquelle des deux affirmations vous dérange le plus ? Vous aimeriez avoir un troisième choix ? Le voici.

— 2ᴱ ÉTAPE

Comprenez que le client s'objecte à la somme parce que vous êtes justement très hésitant sur ce point et non sur les autres. Il voudra vous mettre sur la défensive là où cela semble le plus facile, et c'est une technique de négociation tout à fait correcte. Ne tombez pas dans le panneau !

— 3ᴱ ÉTAPE

Mentionnez la somme à un endroit stratégique de votre phrase clé. Voici trois options ; la troisième est la meilleure.

1. **Mentionner la somme au début de la phrase.** Vous vous débarrassez rapidement de la désagréable tâche de le dire et progressez vers les éléments plus agréables. Mauvaise tactique : vous forcez ainsi le client à recevoir l'ensemble des éléments sous l'angle de l'argent.

Exemple de formulation du prix au début de la phrase	Réaction mentale probable du client
Pour seulement 175 $, vous pouvez recevoir votre table de bricolage à 7 tiroirs modulaires, incluant évidemment une garantie de 3 ans et une option de livraison en 48 heures. À temps pour la fin de semaine…	Oui, mais 175 $ c'est beaucoup pour une petite table ; je devrais visiter les ventes débarras…

Vous déplorez que le client affiche ici une réaction comptable ? C'est pourtant vous qui avez commencé avec les chiffres !

2. **Mentionner la somme à la fin de la phrase.** Ici vous retardez le plus possible la désagréable tâche en espérant que la multitude de données plus agréables saura séduire le client et qu'il ne tiendra pas compte du facteur argent. Tactique dangereuse : vous risquez de réveiller brutalement le client avec un prix sorti sans préavis à la toute fin de son rêve. Le client aura un sursaut et fera une rétrospective critique de tous vos arguments antérieurs.

Exemple de formulation du prix à la fin de la phrase	Réaction mentale probable du client
Vous pouvez recevoir votre table de bricolage à 7 tiroirs modulaires, incluant évidemment une garantie de 3 ans et une option de livraison en 48 heures, pour seulement 175 $.	Intéressant... Ouf ! C'est cher pour bricoler le dimanche !

Vous avez noté le réveil brutal ? Cessez de parler comme un réveille-matin !

3. **Mentionner la somme au beau milieu de la phrase.** Ici vous situez le prix de façon naturelle parmi d'autres éléments. Cela permet au client d'entendre le prix dans un élan de continuité, et non de le recevoir comme un klaxon en pleines oreilles ! Voici ce à quoi la technique ressemble.

Exemple de formulation du prix au beau milieu de la phrase	Réaction mentale probable du client
Vous pouvez recevoir votre table de bricolage à 7 tiroirs modulaires pour seulement 175 $, incluant évidemment une garantie de 3 ans et une option de livraison en 48 heures... À temps pour la fin de semaine...	Ouais... ça serait intéressant de m'en servir en fin de semaine, et dans le fond, à ce prix-là c'est abordable...

Vous avez noté qu'on a ajouté après la somme une **option** de livraison dans les 48 heures. Si le client le désire, il sera prêt à payer un petit supplément pour avoir du plaisir rapidement. Voilà une vente doublement efficace.

Cette dernière option est évidemment porteuse de résultats, parce qu'elle affiche clairement votre confiance dans le prix et parce qu'elle permet au client de situer celui-ci comme un critère parmi d'autres. Vous aidez donc le client à réfléchir de façon plus équilibrée. Bref, quand vous cessez d'avoir peur de votre prix, vous cessez de faire peur avec le prix.

P.**R**.O.
Répondre, relancer

Recevoir les propos sans préjugé

Comme le dit La Sagouine (savoureux personnage de la romancière Antonine Maillet) : « Le monde yé pas comme qu'yé... yé comme qu'on l'wé ! »

Si vous percevez une mauvaise intention dans la réplique de votre client, vous serez tenté d'adopter une attitude défensive ou de contre-offensive et vous interpréterez ses propos à travers le filtre de cette nervosité.

Si vous accordez trop d'importance à un mot fort d'un client, vous répéterez sans cesse ce mot dans votre tête et le situerez dans son contexte réel. Vous risquerez de limiter le message à son contenu émotif. Pire, ce penchant vous mènera à interpréter des mots et des propos qui n'ont nul besoin de l'être.

Comme le disait un agent d'appels particulièrement productif : « J'aime interpréter avec ma tête et ensuite avec mes émotions... »

Propos d'un client	Interprétation émotionnelle	Déduction raisonnée
J'ai mon voyage ! Vous me demandez deux minutes et vous étirez sur une demi-heure !	Je me sans mal d'avoir trop étiré ; il a raison de m'en vouloir !	Le client veut aller plus vite ; je dois prioriser et accélérer. Ensuite revoir mon scénario !
Vous dites ceci puis vous dites cela. Comment diable, voulez-vous que je prenne une décision ?	M..., je savais qu'il y avait trop de données dans le scénario de présentation, et là je paie pour ça !	Excellent ; le client veut prendre une décision ! Je simplifie, je valide puis j'ai une vente !
Écoutez, je ne suis pas devenu Directrice des achats en étant naïve ; j'exige un meilleur rapport qualité/prix !	Je sens sa nervosité ; en tant que femme gestionnaire, elle doit constamment établir son autorité. Faut que j'accepte cela.	Elle a récemment eu une promotion et en est fière. Elle désire négocier et a un pouvoir décisionnel ! Allons-y !
Non, non et non ! Ce produit me paraît trop peu performant et je refuse d'acheter une machine qui brisera au premier effort soutenu !	Il semble catégorique et je vais avoir de la misère à lui vendre ce modèle de tondeuse électrique.	Bon, il veut catégoriquement plus de force ! Je lui offre un modèle plus fort ou je mets l'accent sur la performance et la garantie. On avance !
Je ne peux sincèrement pas investir 1 850 $ dans un nouvel ordinateur en cette période de l'année.	Si seulement j'avais appelé plus tôt j'aurais eu plus de chance. M... !	Tiens, il mentionne la somme précise et dit « investir » ! Je lui propose de reporter un autre achat et l'ordinateur devient abordable ! C'est beau !

Vous avez noté que les interprétations émotionnelles sont toutes centrées sur « soi » et que celles de droite sont centrées sur « l'autre ». L'interprétation raisonnée produit de meilleurs résultats, parce qu'ici le vendeur interprète les propos dans un contexte de transaction.

Exercez-vous à écouter très attentivement et à interpréter comme un vendeur. Résumez en quelques mots l'essentiel des propos ci-dessous et imaginez une interprétation raisonnée.

Exercice

Propos d'un client	**Votre interprétation raisonnée**
	(voir réponses plus loin)

1. Désolé, ce n'est pas moi qui peux prendre cette décision !

2. Je n'ai pas le temps de vous écouter, car je suis entre deux réunions.

3. Je suis très occupé en ce moment ; pouvez-vous me poster la documentation ?

4. Vous êtes la troisième personne à m'offrir un logiciel de gestion de projets !

5. Qu'est-ce qui me garantit que vous êtes une entreprise digne de confiance ?

6. Pas question de vous donner mon numéro de carte de crédit par téléphone, c'est trop risqué !

Réponses

1. Il mentionne le mot « décision » et connaît probablement la personne qui peut décider ; je lui demande « qui » décide et selon quels critères, et je vérifie comment il peut aider son collègue à bien décider.

2. Le facteur temps entre en ligne de compte et il est présentement sans occupation particulière ; à moi de meubler le temps libre en écoutant attentivement les sons ambiants (voix, téléphones cellulaires, etc.).

3. Il se dit très occupé et vouloir de la documentation, alors je lui demande son adresse pour demeurer en ligne et je résume certains éléments clés de la documentation à poster.

4. Il dit avoir reçu trois offres sans pourtant acheter. Le sujet est donc populaire en région, alors je le félicite d'avoir noté l'utilité de ce type d'outil de travail et on fonce !

5. Il veut des raisons de faire confiance et il parle non pas de moi mais de mon entreprise, alors je compare mon entreprise à la sienne (années d'opération, territoire, équipe de gestion, membre (*membership*) d'associations, etc.)

6. Il parle non pas de risque, mais de **niveau** de risque, alors je le félicite pour la nuance et je fournis des informations sécurisantes.

Répondre, relancer et réorienter les objections

Nous entretenons tous une étrange et profonde fascination envers les objections. Nous les craignons, nous les ignorons, nous les refusons et lorsqu'elles sont là, nous les combattons de toutes nos forces. La fougue que nous mettons à combattre les objections nous mène trop souvent à vouloir les vaincre là où nous devrions convaincre. Un ouvrier qui n'a dans son coffre à outils que des marteaux tend à percevoir tous les problèmes en termes de clous.

Revoir la notion du mot objection

Pouvez-vous résumer en une phrase ce que sont une hésitation, une objection, une contrainte et un refus ?

— UNE RÉTICENCE OU UNE HÉSITATION

Une hésitation est rarement rationnelle ; elle se développe habituellement de façon inconsciente, pour devenir une sorte de « mur invisible » que peu d'arguments peuvent facilement percer. Si l'interlocuteur a déjà une réticence ou une hésitation face à un sujet, vos propos peuvent éveiller et alimenter une incertitude générale. Par exemple, une personne qui craint l'eau depuis sa petite enfance peut hésiter devant tout produit, service ou activité ayant un lien avec l'eau. Une offre de séjour dans un centre de villégiature sur le bord d'un lac ne va donc pas déclencher une objection, mais réveiller une hésitation, une réticence, une crainte personnelle qui déborde le sujet de l'appel. Si vous traitez une hésitation comme une objection, vous risquez de transformer la réticence en résistance et peut-être même en agressivité.

Réticence et hésitation

L'autre
État de confusion intérieure et antérieure à mes propos.

Moi

— UNE OBJECTION

L'objection est une **réaction** et non un état d'esprit. Le client ne peut pas verbaliser une objection au prix avant de l'entendre, il ne peut vous reprocher votre attitude avant de l'avoir constatée ! Si vous tentez d'esquiver une objection, elle sera répétée avec plus de force. Si vous tentez de contre-attaquer, elle deviendra formelle. Si vous l'ignorez, elle deviendra une plainte.

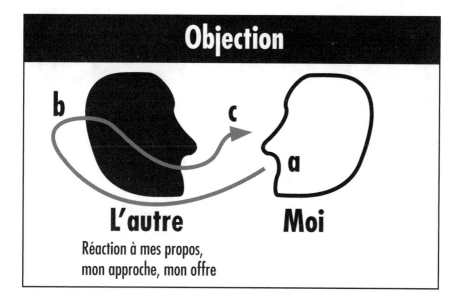

— UNE CONTRAINTE

Une contrainte est une force « externe » qui brime ou empêche la personne de vous dire « oui ». Cette force ne provient pas du passé de la personne (comme c'est le cas avec une réticence) ; elle ne provient pas de vous (comme c'est le cas pour les objections) ; elle provient de l'environnement de votre interlocuteur. Pensez à des procédures, à la structure, à des politiques d'entreprise, à des pressions de la concurrence directe, etc.

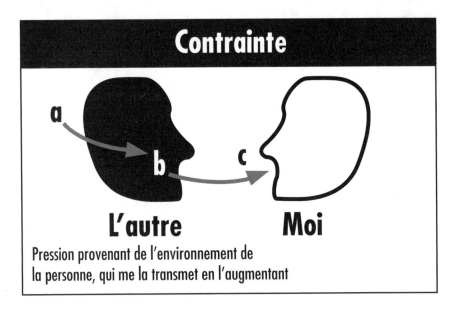

— UNE CONDITION

Votre interlocuteur vous présente une exigence supplémentaire sans lien direct avec les « forces externes » de votre offre. Il exige une concession ou un boniment directement lié à sa stratégie de négociation. Une condition fort répandue : « Je veux une réduction supplémentaire de 5 % ! » Le client ne fait aucune référence à des procédures ou normes, aucune indication sur le « pourquoi » ou le « où ». Vous faites une erreur importante en abordant une condition comme une contrainte ; dans le premier cas, vous devez vous ajuster rapidement ; dans le second, vous gagnez à être plus ferme, puisque l'interlocuteur s'attend à négocier et vous perdrez toute marge de manœuvre en pliant tout de suite.

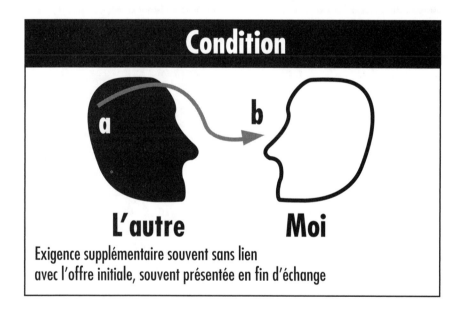

Condition

a

b

L'autre **Moi**

Exigence supplémentaire souvent sans lien avec l'offre initiale, souvent présentée en fin d'échange

— UN FAUX NON

Un client qui vous dit « non » ne vous dit pas nécessairement « non ». Comme une personne qui souffre de personnalités multiples, ce mot présente plusieurs facettes. Vous êtes dans l'erreur en disant qu'un non c'est un non ! Vous êtes sceptique ? Tant mieux : vous demandez des indices et des preuves avant de changer d'opinion. Voici donc quelques éléments de réflexion.

1. Un « non » peut avoir plusieurs sens.

Si le client dit :	Cela peut aussi vouloir dire :
Je ne devrais pas vouloir...	J'aimerais, mais...
Je ne veux pas...	Je ne veux pas paraître faible ou enthousiaste à ce moment-là.
Je ne pense pas vouloir...	Présente-moi une autre raison.

2. En considérant immédiatement le « non » comme véridique, on ne fait pas preuve d'écoute attentive, on démontre un sérieux manque de confiance. En acceptant le premier « non » du client, on se donne une porte de sortie. Eh oui, si vous acceptez le « non », vous n'êtes plus obligé de continuer votre présentation, vous n'êtes plus obligé de relancer ou de rebondir. Vous avez mis fin à une situation qui vous semble difficile. La douleur de la fuite vous paraît moins vive que celle de l'effort. Cela suggère que vous manquez de confiance en vous, et que vous manquerez bientôt de travail.

3. En présumant que le « non » lancé par votre interlocuteur est une hésitation ou une tactique de négociation, vous prenez un risque. Entre présumer que le « non » est authentique et présumer le contraire, vous assumez presque le même risque. La seule différence est que dans le second cas, le risque implique un potentiel de succès.

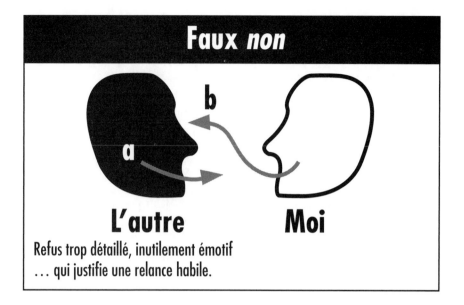

Faux *non*

a

b

L'autre   **Moi**

Refus trop détaillé, inutilement émotif
… qui justifie une relance habile.

— Un vrai non

Votre interlocuteur peut crier « non » et casser son crayon sur son bureau sans qu'il s'agisse d'un véritable refus.

Comment distinguer le vrai refus du faux ? Un consultant vous le dira contre rémunération ; un vétéran vous le dira contre un partage de la commission, un collègue d'expérience tentera de vous l'expliquer en cherchant le bon mot ou la bonne comparaison.

Simplifions les choses, en faisant la lumière sur ce qu'est un vrai non. Si le « non » qu'on vous oppose contient quatre ou cinq des éléments suivants, il s'agit presque certainement d'un vrai non.

- La phrase contient très peu de mots, parfois un seul.

- Elle est transmise sur un ton neutre, sans modulation ou presque.

- Elle contient une seule raison claire ou pas de raison du tout.

- Elle contient plusieurs silences très bien placés.

- Elle est articulée de façon excessive, certains mots étant énoncés syllabe par syllabe.

- Elle est souvent présentée avec une politesse forcée.

- Elle est suivie par un silence total... ou par le son d'une ligne coupée !

Vous avez maintenant une vision plus nette du merveilleux monde des objections. Procédons à une validation de cette nouvelle compétence.

Déterminez, parmi les phrases suivantes, l'hésitation, l'objection, la contrainte, le faux non et enfin le vrai non.

Exercice

Propos du client	Type de résistance
1. Pas question que je me laisse embarquer dans votre affaire ! J'ai déjà eu assez de surprises dans ma vie, et je ne suis plus un jeune naïf. Je ne paierai pas pour revivre une mauvaise expérience ! C'est NON !	
2. Je suis tanné, bien tanné d'entendre des vendeurs me promettre la lune puis livrer une photo de la lune ! Ma réponse c'est NON ! Compris ? NON, pas question !	
3. Arrêtez votre présentation tout de suite : nous avons un contrat blindé avec un fournisseur et il est hors de question de payer une amende pour changer de fournisseur !	

| **Propos du client** | **Type de résistance** |
| (suite) | (suite) |

4. Monsieur Frelin, ma réponse est...
   non... Passez à votre prochain appel.

5. Vous voulez ma réponse ? C'est NON !
   Votre produit ne convient pas, mais
   pas du tout à nos besoins et en plus
   vous demandez un acompte excessif !

Réponses

1. Probablement une réticence ou une hésitation. L'interlocuteur parle fortement de ses expériences de jeunesse et son argument semble totalement détaché de votre offre actuelle.

2. Plutôt un faux non. Le propos contient une charge émotive (répétition du mot « tanné ») et on note une répétition excessive du « non ». Quand une décision est réfléchie et sereine, on ne la répète pas avec tant d'émotion.

3. Potentiellement une contrainte. La décision est davantage liée à une limitation ou à un empêchement interne dans l'entreprise et non à la valeur de votre offre. De plus, on présente au moins deux raisons de dire non et on termine avec une mention « ...pour changer de fournisseur ». La contrainte est réelle, comme l'est l'option de changement. Il suffirait peut-être de connaître la somme de l'amende en question et de la négocier !

4. Presque certainement un vrai non. Le propos est très bref, contient plusieurs silences placés devant des mots clés. Il n'offre aucun raisonnement susceptible d'alimenter votre rebond. Enfin, il vous donne une directive claire « ...passez à votre prochain appel », le tout prononcé sans émotion particulière (absence du point d'exclamation).

5. Plus ou moins une objection. Le message présente une répétition émotive (pas... pas du tout) et contient au moins deux références concrètes : votre offre « produit » ne convient pas... acompte excessif. Le client réagit évidemment à deux sections de votre offre, autres que le prix. Vous avez au moins deux pistes de relance, de réorientation et de reprise. Un habile vendeur peut ici présumer de son succès.

Reformuler l'objection ou la contrainte

Si vous avez tenté sans succès quatre fois d'introduire une clé dans une serrure, que faites-vous ? Changez de clé ou de serrure ! Vous pouvez aborder et gérer une objection de trois façons.

1. **L'ignorer** et foncer avec insistance. Le problème avec cette tactique est qu'elle mène très souvent à l'échec. Une objection ignorée ne disparaît pas, elle croît sans cesse jusqu'à occuper tout l'esprit de votre interlocuteur. On peut esquiver un coup de poing, mais pas une objection.

2. **La combattre** avec persistance. Le seul hic de cette méthode est que vous invitez l'interlocuteur à se défendre ou à attaquer. Une objection qu'on retourne nous revient comme un lourd boomerang. On peut convaincre un client mais pas le vaincre.

Une histoire vécue

Un formateur (disons qu'il s'appelle Marc) travaille avec un groupe d'agents d'appels et tente sans succès de modifier la réaction combative d'un participant qui répond systématiquement à des objections par « Oui, mais... ».

Formateur : « J'ai oublié votre nom de famille. Quel est-il ? »

Agent : « Papineau. »

Formateur : « Vous n'êtes pas un Ouimet ? »

Agent : « Heuuuu.. »

Formateur : « Vous pouvez dire « Ouimet » seulement si c'est votre nom de famille. »

3. **La recevoir, la reformuler** et la réorienter avec aisance. Une objection est une chose fort intéressante si vous savez en apprécier l'utilité. Résumons deux notions.

• Une objection ou une contrainte vous informent d'un élément qui empêche l'interlocuteur de dire « oui ». Si la personne ne peut pas ou ne veut pas recevoir votre offre, elle formule un vrai non. Une objection est une étape de prise de décision et non une fuite.

- Une objection ou une contrainte contiennent en elles une attente ou un désir de solution. Un client qui oppose une objection s'attend à une réponse.

Objection ou contrainte énoncée	Attente, désir et solution implicite
Je n'ai pas le temps…	Allez plus vite, à l'essentiel !
C'est trop compliqué votre affaire !	Simplifiez-moi ces listes de chiffres !
Je n'aime pas votre ton !	J'aimerais que vous soyez plus poli.
Votre demande d'acompte est exagérée !	Je suis ouvert à une autre formule.
Qui me dit que vous n'êtes pas un arnaqueur ?	Je veux des références plus claires.

Ces types d'objections sont prévisibles et plausibles. Souvenez-vous, le téléphone accélère et amplifie tout. Fort de cette perception nouvelle de la valeur d'une objection, vous pouvez assez facilement recourir à six techniques de gestion de ce processus.

Se référer à six types de reformulation

Les techniques suivantes sont spécifiques à la vente par téléphone. Ici s'applique dans toute sa logique la formule des Trois-A : **Aplanissement** de la hiérarchie ; **Amplification** de tout élément de communication ; **Accélération** du temps (voir chapitre 1). Elles sont plus rapides et amplifiées que lors d'un échange en personne où les choses vont moins vite.

De plus, les techniques ci-dessous doivent être adaptées à la culture de l'entreprise dans laquelle vous travaillez et s'ajuster à votre style personnel. Commençons par comprendre la logique de chacune des techniques.

1. La continuité du propos

Vous poursuivez et retournez l'objection, comme une personne qui retourne une crêpe. Cette technique vous permet de maintenir le propos et l'élan de votre interlocuteur. Mieux encore, vous assumez pleinement l'objection de l'autre pour ensuite lui fournir une nouvelle orientation tout aussi réaliste que l'objection elle-même. C'est une technique particulièrement bien adaptée au téléphone, car elle maintient le rythme et l'élan de l'échange.

Exemple de continuité ☎

Client : « Je ne pense pas avoir besoin de ce produit... »

Vendeur : « ...parce que vous voulez avoir plus de données ? »

Client : « Euh, oui. »

2. La question affirmative (ou affirmation interrogative)

Vous recevez et réorientez le propos du client à l'aide d'une réplique à mi-chemin entre la question et la directive. Vous utilisez une tournure de phrase affirmative mais en lui donnant le ton et l'intonation typiques d'une question. La technique est ancestrale, mais a été développée de façon systématique dans plusieurs grandes organisations, notamment dans la restauration rapide (« Un p'tit chausson avec ça ? »). Le client choisit immédiatement de répondre par « oui » ou « non », il n'entame pas une période de réflexion abstraite. Cette technique est également efficace par téléphone, car elle accélère naturellement le processus décisionnel du client.

Exemple de question affirmative ☎

Client : « Je n'apprécie pas votre insistance à parler de sécurité ! »

Vendeur : « Vous préférez prendre note de la qualité (!)(?) »

Client : Ce serait mieux ! »

3. La question à développement

Vous demandez au client d'élaborer sa pensée, pour qu'il vous présente ses critères d'achat. Cette approche comporte un danger et un avantage.

- Le danger : le client peut entamer un long discours ou élaborer indûment son objection.

- L'avantage : le client peut être amené à constater que son objection est peu justifiée ou mal documentée.

Un conseil : utilisez cette tactique avec un interlocuteur qui affiche des opinions sensées, mais évitez d'y recourir avec une personne qui vous interrompt souvent et qui affiche des opinions catégoriques (qu'elles soient valables ou non) ; ce type de personne peut vous tenir au téléphone de longues minutes et ouvrir un grand débat sans lien avec votre objectif.

Exemple de question à développement ☎

Client : « Pourtant, j'ai lu que ce type de service n'était pas couvert ou cautionné par le ministère de la Santé. »

Vendeur : « Et que dites-vous des autres situations où le ministère a fini par accepter le bien-fondé d'une approche thérapeutique ? »

Client : « Ce que j'en dis, c'est que ces espèces de *&??# incompétents ne savent pas distinguer entre une pilule et une roche ! À preuve, mon beau-frère a eu l'an dernier un... » (Le client entame un discours hostile et irréfléchi sur un sujet qui dépasse de loin ses connaissances, mais vous êtes obligé de l'écouter ou de lui couper la parole et d'ainsi paraître hostile.)

4. Le choix alternatif

Vous recevez et réorientez l'objection, sous le signe de la collaboration. Vous fournissez cependant un choix de réponses réalistes qui collent à la nature de l'objection. Cette façon de faire s'applique facilement par téléphone, car elle maintient le rythme et l'élan de votre échange. Mieux encore, vous proposez non pas une réplique, mais une aide concrète au cheminement vers un accord.

Exemple de choix alternatif ☎

> Client : « Vous perdez votre temps à m'offrir une ligne ultra haute vitesse pour nos communications informatisées ; le système actuel répond bien à nos besoins. »

> Vendeur : « Vous parlez de vos besoins d'administration courante ou de marketing interactif à l'échelle de votre territoire ? »

> Client : « Euh... Je... je vous mets en communication avec ma directrice des opérations. »

> Vendeur : « ... qui se nomme ? Vous déléguez la décision ou vous voulez que je vous rappelle ? »

5. La répétition de l'offre

Vous faites comme un habile enquêteur qui doute raisonnablement et respectueusement du bien-fondé de la réplique d'un témoin. Vous présumez de la bonne foi de votre client, mais doutez de la pertinence ou de la précision de son objection (par exemple, un propriétaire de magasin qui dit ne pas avoir l'autorité pour prendre une décision relative à la police d'assurance responsabilité que vous lui offrez). La technique consiste à reformuler l'offre en termes plus généraux, avec une image frappante ou en termes de principes.

Exemple de répétition volontaire et simplifiée ☎

Client : «Vous perdez votre temps à m'offrir une ligne ultra haute vitesse pour nos communications informatisées ; le système actuel répond bien à nos besoins.»

Vendeur : «Je vous propose une communication plus rapide, plus facile à gérer...»

Client : «Oui, mais nous avons un fournisseur attitré...»

Vendeur : «...et je vous propose de faire une brève comparaison de rendement !»

Vous avez noté que le vendeur a reformulé l'offre de façon plus brève et sans détail, en conservant son élan ? Vous avez aussi noté l'utilisation de deux types de rebond (la répétition, la continuité de phrase). C'est beau !

6. Le silence qui interpelle

Cette technique, pourtant très efficace en situation de vente sur le plancher, est rarement productive par téléphone. La personne qui reçoit votre silence par téléphone peut mal interpréter votre absence et en profiter pour raccrocher. Les silences volontaires sont utiles quand vous faites une présentation téléphonique, mais pas quand vous gérez une objection.

Rebondir et relancer trois fois !

Dans un premier temps, vos parents vous ont certainement souvent répété qu'il était impoli de répéter. Plus tard, vos entraîneurs sportifs vous ont fermement souligné l'importance du nombre trois : trois essais pour frapper la balle, trois périodes dans une partie, trois essais pour avancer de 10 verges. Vous avez probablement développé une perception ambiguë de la valeur réelle de la répétition !

Tenez pour acquis que le client a le droit (et souvent le devoir) d'opposer une objection, ne serait-ce que pour des raisons de négociation. Considérez aussi que votre interlocuteur s'attend à ce que vous rebondissiez avec une concession ou avec une nouvelle offre. Recevez donc les objections comme des balles de tennis et non comme des obus. Si vous hésitez, sachez que la répétition est un phénomène utile et pertinent par téléphone, car les gens ne peuvent ni émettre ni observer le langage non verbal de l'autre. Mettez un peu d'effort à utiliser des variantes et des synonymes. Alors, répétez, reformulez, relancez, rebondissez, resituez, réorientez, réitérez, etc.

Exemple de répétition volontaire et simplifiée ☎

Client : « Vous perdez votre temps à m'offrir une ligne ultra haute vitesse pour nos communications informatisées ; le système actuel répond bien à nos besoins. »

Vendeur (*premier rebond*) : « Je vous propose une communication plus rapide, plus facile à gérer... »

Client : « Oui, mais nous avons un fournisseur attitré... »

Vendeur (*second rebond*) : « ...et je vous propose de faire une brève comparaison de rendement ! »

Client : « Je vous demande de comprendre que nous avons un fournisseur... »

Vendeur (*troisième rebond*) : « Vous offre-t-il vraiment une capacité de communication aussi rapide et simple à gérer ? »

Client : « Vous insistez ! »

Vendeur : « Si j'étais l'un de vos représentants, voudriez-vous que je mette moins d'effort à rendre service à un client potentiel ? »

Client : « Bon ! Quels sont vos chiffres ? Soyez précis ! »

Vous avez certainement noté les variantes de stratégies de ton de cet échange. Vous avez peut-être apprécié la dernière réplique du vendeur, qui change habilement le « centre de gravité » de l'échange. On ne parle plus d'une offre provenant de l'extérieur, mais d'un principe de développement attribué à l'intérieur de l'entreprise du client ciblé.

25 *répliques potentielles*

Quoi de mieux qu'un attentif tour de piste pour préparer une sérieuse course à obstacles ! La liste ci-dessous présente une série de répliques susceptibles de relancer et de réorienter un client et ce, de façon rapide. Partez de ces répliques pour développer votre propre style.

Partons d'un cas précis. Vous offrez une police d'assurance de propriété ou un service de surveillance industrielle.

Types d'objection

1. L'HÉSITATION

« Je me sens mal à l'aise de régler ça par téléphone. »

Techniques de relance

- La continuité de propos : « ...parce que vous voulez plus de données sur notre réputation ; alors sachez que... »

- La question affirmative : « Un contrat avec une firme réputée ! ? »

- La question de développement : « Que pensez-vous des firmes qui vous offrent une garantie écrite dans un langage clair ? »

- Le choix alternatif : « Vous vous sentez gêné ou vous insistez pour avoir des raisons de faire confiance ? »

- La répétition : « Je vous offre une police qui vous assure contre les risques tragiques tels que le feu... »

2. L'OBJECTION

« Vous utilisez un vocabulaire de spécialiste et je ne peux pas me fier à ce que je ne comprends pas ! »

Techniques de relance

- La continuité de propos : « ...ce qui veut dire que nous gagnons tous les deux à ce que le langage soit clair et concret, alors voici... »

- La question affirmative : « Les deux pieds sur terre pour mieux avancer ? ! »

- La question de développement : « Vous voulez donc mieux saisir l'essentiel qui, d'après vous, devrait être... ? »

- Le choix alternatif : « Vous me demandez de simplifier ou de ralentir ? »

- La répétition : « Madame, nous vous proposons de réduire vos risques tout en contrôlant vos frais fixes (ou paiements). »

3. LA CONTRAINTE

« Nous avons un fournisseur actuel avec qui nous avons un contrat d'un an. »

Techniques de relance

- La continuité de propos : « ...ce qui souligne que, pour vous comme pour nous, la continuité est un élément important de progrès. »

- La question affirmative : « Un contrat d'un an qui prend fin ! ? »

- La question de développement (pour le service de surveillance) : « Alors quel est votre position face à l'amélioration constante de vos opérations ? »

- Le choix alternatif : « Vous voulez une réaction rapide ou une protection constante ? »

- La répétition : « Excellent, je suis content de savoir que pour vous la protection est un besoin constant, et c'est pour vous soulager de cette préoccupation que nous... »

4. LE FAUX NON

« Non, non et non, pas question que je me laisse avoir par une combine comme celle-là ! »

Techniques de relance

- La continuité de propos : « ... et j'apprécie votre volonté de prendre une décision éclairée face aux risques quotidiens ! »

- La question affirmative : « Belle attitude de planification ! ? »

- La question de développement : « Quel volet de notre offre exige d'être clarifié tout de suite ? »

- Le choix alternatif : « Vous voulez prendre une décision rapide ou réduire vos risques en matière de sécurité quotidienne ? »

- La répétition : « L'offre propose une réduction de vos frais tout en augmentant l'ampleur de la protection. »

5. LA CONDITION

« Baissez votre prix de 10 % pour prouver que vous êtes sérieux, et on pourra discuter. »

Techniques de relance

- La continuité de propos : « ... parce que vous êtes intéressé par l'ensemble de notre proposition ! »

- La question affirmative : « Une dernière étape ? ! ... »

- La question de développement (sur un ton très confiant et avec un rythme stable) : « Par quelle méthode de calcul arrivez-vous à demander un rabais de 10 % plutôt que 8 % ou 12 % ? »

- Le choix alternatif (à n'utilisez que si vous aviez préparé un service ou une offre de rechange à prix/couverture moindres) : « Si je vous offre un service de qualité à un prix plus accessible, vous signez le contrat ? »

- La répétition : « La protection (surveillance) est une chose sur laquelle vous et moi devons hésiter à lésiner... »

Gérer un vrai non

Vous recevez parfois de véritables « non » que vous gagnez à gérer habilement, ne serait-ce que pour mettre fin à un échange non productif et pour conserver intacte votre confiance en vous.

1. Évitez de confondre ce « non » et un « faux non » (voir page 122)

2. Recevez ce vrai non comme une décision incontournable et valable. Se référez à la prière des alcooliques réhabilités : « Seigneur, donnez-moi la force de changer ce que je peux changer, la sérénité d'accepter ce que je ne peux pas changer, et surtout la sagesse de distinguer entre les deux. »

3. Acceptez simplement et avec sérénité la décision de l'interlocuteur en notant la valeur humaine qu'elle comporte : « Je prends note que vous respectez les termes de votre contrat actuel. » ou

«Votre décision est claire et j'apprécie la politesse avec laquelle vous la transmettez.»

4. Attendez la réplique de votre interlocuteur avant de raccrocher. Celui-ci, qui s'attendait peut-être à un acharnement de votre part, sera impressionné par votre acceptation honorable. Il optera probablement pour l'une des deux tactiques suivantes :

- Il vous remerciera de votre professionnalisme (et vous gagnerez sa confiance pour votre prochaine démarche de vente).

- Il révisera peut-être sa position en constatant votre professionnalisme.

Une histoire vécue

Un vendeur (l'auteur) a fait une offre de service à un regroupement d'institutions financières. Un important gestionnaire lui a transmis par téléphone une réponse négative incontournable.

Gestionnaire : «La décision fut plus difficile que prévue, et vous êtes arrivé bon deuxième.»

Vendeur : «Monsieur, je suis flatté qu'un gestionnaire de votre niveau ait pris le temps de m'aviser en personne ; d'autres se serait contentés d'un sommaire avis écrit.»

Gestionnaire (après une petite hésitation) : «Je constate que notre comité de sélection a peut-être pris la mauvaise décision, mais les dés sont jetés.»

Vendeur : «Je demeure disponible pour vous appuyer dans vos démarches chaque fois que vous aurez besoin de moi.»

Vous avez noté que le vendeur n'a pas tenté de pousser le client à renier la décision du comité ; cela aurait anéanti la valeur de ses propos antérieurs. La fin de l'histoire : le vendeur a reçu deux contrats de ce regroupement, contrats plus modestes, mais sans appel d'offres et sans négociation. Ce représentant comprenait qu'un refus puisse être formel, sans être définitif. Et vous ?

Couper court... s'il le faut

À moins d'être insensible aux insultes, aux menaces et aux refus brutaux, vous ressentez de temps en temps la tentation de prendre de court un interlocuteur et de raccrocher en premier. Et vlan ! C'est parfois une tactique justifiable, sous certaines conditions.

Les frontières

Chaque entreprise et chaque représentant doit avoir des normes de bienséance clairement identifiées et mémorisées.

Exemples de normes outrepassées justifiant une rupture proactive

Une attaque personnelle et morale injustifiée.	Tu es vraiment un menteur de la pire espèce !
Une menace claire et directe.	Hé, chose ! Continue comme ça et tu vas avoir mal aux jambes crois-moi !
Un propos vraiment et délibérément raciste ou sexiste (1).	Comment veux-tu que je comprenne ce que tu dis, avec ton maudit accent de (...) ? Apprends à parler comme nous autres !
Un refus catégorique de communiquer sans pourtant raccrocher.	Ben non... Pas question !... Hunnn !...
Une confusion réelle et durable quant au sujet et au but de votre appel (2)	Comme ça vous voulez prendre mon argent et que je paie d'avance sans rien avoir en échange. Je veux... Je crois que vous êtes des bandits, comme celui qui est passé par ici le mois dernier.
Une volonté de communiquer qui dépasse de loin le cadre de l'échange, genre « thérapie », etc. (3)	Merci d'être si compréhensif et poli avec moi, je traverse une période difficile et personne ne semble m'écouter. Mais vous êtes tellement attentif que...

Ces comportements doivent être clairement insultants et réellement impossibles à négocier ou à réorienter. La tentation est forte de considérer le premier dépassement des bornes comme une raison de mettre fin à l'entretien. Évitez de considérer ces propos comme un prétexte pour terminer un entretien. Il faut distinguer entre un dépassement réel et une stratégie de négociation.

1re mise en garde

Un propos bête et méchant n'est pas nécessairement raciste. « Je suis mal à l'aise avec les étrangers » est un propos très différent de « Sale immigrant ! ». Dans le premier cas, la personne évoque son sentiment ou fait un aveu probablement sincère ; dans le second, il y un jugement sur l'autre et une attaque formelle. Vous pouvez gérer la première, mais pas la seconde.

Une histoire vécue

Client (sur un ton agressif) : « Je n'aime pas les gens qui ont un accent arabe, c'est-tu clair ?! »

Agent d'appels (sur un ton confiant et poli) : « Je suis hongrois, alors on peut continuer monsieur ! »

2e mise en garde

Une confusion apparente peut être une stratégie de négociation, surtout lorsque la confusion émane d'une personne qui devrait normalement connaître le sujet général de votre appel. Vous pouvez identifier les faux confus à leur sens du *timing* et du rythme.

Exemples de fausse confusion

La personne semble confuse sur un point clé de votre présentation, mais comprend le reste. Elle semble confuse sur un point, mais s'y réfère clairement un peu plus tard. Elle avoue trop rapidement sa confusion sur un ton trop confiant. Elle tente de vous faire croire que vous êtes aussi confus qu'elle.

3ᵉ mise en garde

Ce sont presque exclusivement lors d'appels de type résidentiel que vous rencontrez des gens qui veulent trop parler. Que ce soit par solitude, par dépression ou pour des raisons de santé mentale, ces gens ne sont pas de mauvaise foi et ne sont pas agressifs. Ils ont peut-être besoin d'aide professionnelle.

Trois options face à une personne qui a un urgent besoin d'aide professionnelle.

1. Proposer poliment à cet individu d'en parler en personne avec un ami ou un voisin qui est plus proche.

2. Suggérer poliment et clairement à cette personne de contacter un intervenant (les centres d'appels bien équipés possèdent ce genre de listes).

3. Entretenir la conversation juste assez longtemps pour établir sa crédibilité, puis invoquer un appel entrant et demander le numéro de la personne et lui dire d'attendre le rappel. Contacter immédiatement un gestionnaire pour déterminer l'opportunité d'appeler soi-même un intervenant ou de composer le 911. La décision est délicate, mais parfois nécessaire.

Les signes avant-coureurs d'une transgresssion

Nous avons tous un seuil de tolérance. Vous êtes un professionnel du développement des affaires, pas un martyr. Avec un peu d'introspection et de franchise, vous pouvez identifier très clairement vos montées de pression avant qu'elle ne vous sautent en pleine figure.

Exemples de signes avant-coureurs d'une perte de contrôle

Signes physiques

- Muscles tendus (mâchoire, cou, mains, etc.)

- Tics nerveux à répétition (tapotement, déplacement saccadé d'objets, etc.)

- Sensation de chaleur, d'humidité, de froid (sur le visage, dans la chevelure, dans le cou, etc.)

Signes psychologiques

- Fixation sur un mot ou un argument.

- Interprétation excessive des propos de l'interlocuteur.

- Tentation de vouloir finir les phrases de l'interlocuteur.

- Vif désir de se bagarrer ou de s'enfuir.

Les meilleurs d'entre nous peuvent repousser la frontière. Très peu peuvent les éliminer. En plus de 10 ans d'intervention et de formation, l'auteur de ce livre n'a connu qu'une seule personne capable de demeurer calme dans des situations «inhumaines». Cet homme (appelons-le Claude) disait «La meilleure façon de ne jamais dire des choses regrettables consiste à ne pas les penser. »

La transgression, vous ou votre interlocuteur ?

Quand votre promesse de finir en trois minutes se transforme en marathon de sept minutes, le client a raison de se montrer hostile et de vous le faire sentir.

Quelques propos inacceptables	...qui découlent de votre attitude
L'interlocuteur vous interrompt sans cesse...	...parce que vous ne cessez jamais de parler !
Il doute de votre parole...	...parce que vous utilisez trop de superlatifs !
Il refuse impoliment de répondre à une question...	...parce que vous avez ignoré ses questions !
Il utilise trop de « Mais... »	...parce que vous utilisez trop de « Oui, mais... ! »
Il vous accuse d'être hostile...	... parce que vous insistez trop !

Les préavis

Vous devez donner à votre interlocuteur au moins deux préavis signifiant que votre point de rupture approche. Oublier ces mises en garde crée deux erreurs majeures :

1. Vous risquez de mettre fin à l'échange sur un ton raide et sec, ce qui nuira à votre crédibilité parmi vos collègues et auprès des gestionnaires (qui veut travailler avec un pétard sans mèche dans un métier où il y a des étincelles ?).

2. Vous risquez de provoquer une grande surprise chez votre interlocuteur, qui sera presque certainement porté à contre-attaquer avec une énergie accrue. L'interlocuteur conclura que vous êtes aussi impoli que lui et en perdra le sens de la mesure ou portera plainte...

Bref, vous devez à tout prix donner deux avertissements que la limite approche et que vous entendez la faire respecter. Le simple fait d'énoncer que la limite approche vous permet de décompresser vous-même et vous évite de mettre fin à la conversation.

Mieux encore, ces préavis vous permettent de demeurer très calme. Vous êtes confiant de maîtriser la situation et vous savez exactement ce qui s'en vient. Cette sérénité paraîtra dans votre choix de mots, dans le ton de vos propos et dans la modulation de votre phrase.

Exemples de préavis de rupture imminente

Madame, vous semblez ouvertement mettre en doute ma bonne foi, ce que je ne peux endurer longtemps...

Monsieur, vous utilisez des mots blessants pour demander un rabais, je tente de voir la logique de ces propos...

Je constate que vous interprétez à répétition tous mes propos...

Vous avez noté l'utilisation des « madame, monsieur » sans pourtant mentionner le nom de la personne ? Parfait ! Vous savez qu'il est souvent important de dépersonnaliser les propos quand la pression monte. En disant « Madame », vous produisez un effet plus rationnel, moins interpellant. Si madame Smith se choque, ce sera son choix, et non une réaction viscérale.

L'appui de vos collègues et de votre patron

Si vous craignez une réaction négative de la part de vos collègues et patrons quand vous mettez fin à un entretien « cul-de-sac », ce manque de confiance se fera sentir dans votre voix. Un petit truc pour y remédier est de discuter en équipe des dangers de s'enliser dans un dialogue voué à l'échec : perte de temps, perte de confiance, perte de crédibilité, perte de revenus, perte, perte, perte...

Raccrocher (la rupture)

Le moment est venu de passer à l'acte et de raccrocher, ce qui est relativement facile puisque vous avez avisé votre interlocuteur que ce moment était imminent. Vous gagnez ici à suivre trois principes élémentaires.

1. Adoptez un ton consciemment lent et calme. Moins vous mettez d'émotion, plus vous pouvez aller loin et garder le contrôle de la situation.

2. Énoncez la rupture de façon précise, simple et très brève. Mettez fin à l'échange en une seule phrase.

3. Évitez de fournir à votre interlocuteur une occasion de contre-attaquer. Une phrase qui contient une structure «vous contre moi» générera une réplique corsée.

Lisez les phrases suivantes à haute voix, en mettant un accent tonique sur les mots en gras et en plaçant de petits silences là où se trouvent les points de suspension. Dans la colonne de droite, mettez un très petit accent tonique sur les mots en italique gras. L'effet vous surprendra agréablement.

Exemples de moi contre vous	Version plus neutre et plus crédible
Madame **Papineau**, je ne **peux pas**... accepter que vous me parliez... sur **ce** ton !	Monsieur ce ton est *inacceptable*...
Je refuse... d'écouter vos **insultes**, monsieur Jones !	Ces propos sont *sans fondement* et blessants.
Vous n'avez... **aucun droit** d'être **raciste** envers **moi** !	L'origine des gens n'est *clairement* pas le sujet de cet entretien.
Puisque vous ne vous contrôlez plus... je mets fin à ma présentation !	Cette présentation ne convient *visiblement* pas.

4. Taisez-vous et raccrochez. Une fois que vous avez donné un avis de «fermeture», laissez planer le silence pendant une seconde, puis raccrochez.

Pourquoi une seconde d'attente? Si l'interlocuteur désire modifier son ton et son point de vue, il le fera très vite. S'il demeure silencieux pendant une seconde, il a probablement accepté la pertinence de votre décision. Vous avez donc réduit les risques de provoquer une plainte. Vous conservez votre emploi, vous augmentez votre confiance en vous.

Pour vous aider à développer votre propre style de rupture justifiée, examinez les phrases suivantes et retenez celles qui vous conviennent le mieux, et faites-en des variantes personnelles.

Exemples de phrases finales pour annoncer une rupture justifiée

Monsieur, ce ton est inacceptable et j'accepte que l'échange se termine ici... (clic!)

Ces propos sont sans fondement et blessants, alors il vaut mieux vaquer à d'autres occupations. (clic!)

L'origine des gens n'est assurément pas le sujet de cet entretien. Bonne journée. (clic!)

Cette présentation ne convient visiblement pas; nous avons chacun d'autres priorités. (clic!)

Cette façon de discuter ne donne aucun résultat précis, il vaut mieux y mettre fin. (clic!)

Le temps passe vite et on gagne tous à passer au prochain travail. (clic!)

Pendant que nous sommes encore polis, mettons fin à cet entretien. (clic!)

Tout ce qui pouvait être dit a été dit. Restons-en là. (clic!)

Ce genre de propos empêche tout échange organisé, on peut reprendre à un moment plus opportun. (clic!)

Cette demande est irrecevable pour des raisons juridiques; proposez plus tard une autre solution. (clic!)

L'offre est finale; continuer dans cette direction est inutile; l'avenir apportera une nouvelle occasion de négocier. (clic!)

Vous êtes persuadé d'avoir trouvé une faille dans certaines phrases qui ne sont pas entièrement neutres (elles contiennent un Je)?

Détrompez-vous. Nous n'avons jamais dit d'éliminer la présence des Je-Vous, seulement d'en réduire la fréquence.

Vous avez noté une petite différence dans les deux dernières ruptures, qui vous semblent maintenir un espoir d'ouverture ? Vous avez raison, car ces deux ruptures ne sont pas finales à 100 %. On peut perdre un point sans abandonner la partie et sans quitter le terrain. Certaines ruptures sont réelles et définitives, d'autres sont un moyen habile de conclure une vente.

P.R.O.
Obtenir un OK

Obtenir un OK (*closing*)

Comment se fait-il que l'arrivée du plus agréable moment de l'échange vous fasse vivre tant d'appréhension ? Quelle logique peut expliquer cette petite panique qui vous serre les neurones et les tripes quand vient le temps de conclure une transaction ? Comme le dit un représentant d'expérience (appelons-le Clément) : « Le plaisir de gagner est souvent moins fort que la peur de perdre. »

Relisez cette phrase à haute voix, de préférence devant un miroir. Prenez bonne note de votre expression et de vos sentiments.

On peut aborder cet aspect de la vente de façon délicate et nuancée ou l'examiner sans fausse pudeur. La deuxième manière donne de meilleurs résultats.

Malgré des différences notables sur le plan de l'intelligence, de l'âge, de la créativité et de l'apparence physique, nous sommes tous et toutes assez similaires sur le plan des émotions. Nous avons tous et toutes été tiraillés entre le désir et la crainte de franchir la porte de la suite nuptiale. Nous savons et désirons ce qui va s'y passer, mais nous ressentons quand même des appréhensions. La comparaison vous semble déplacée ? Elle a l'avantage de vous toucher de façon directe et personnelle.

Il en va de même pour les échanges téléphoniques. Vous et votre interlocuteur êtes seuls, vous parlez et interagissez de façon directe et immédiate, les silences sont souvent compliqués à gérer, les initiatives peuvent être prises par les deux protagonistes et le résultat de l'échange est validé immédiatement. Examinons quelques réticences face à la « fermeture » d'une vente par téléphone.

4 *erreurs fréquentes*

1. **Vouloir à tout prix achever son scénario.** Vous vous sentez obligé de suivre la procédure et de terminer votre scénario. Comme si un manquement à ce devoir allait vous valoir un congédiement ! Vous devez évidemment présenter les informations utiles et nécessaires au client. Un bon scénario inclut plusieurs points ou bornes de conclusion (voir plus loin la partie Offrir une entente finale).

2. **Craindre de rater une vente « à ce moment-ci ».** Vous manquez de confiance en hésitant à conclure une entente qui pourtant fait l'affaire des deux parties ! Le doute, c'est ni plus ni moins que le cancer de la raison ; il ronge sans cesse tout ce qu'il y a autour de lui. La confiance raisonnée est l'un des deux traitements recommandés pour vaincre le doute. Le second est l'exercice quotidien. Continuez à faire vos appels malgré un occasionnel manque de confiance. Dites-vous que la ténacité finit par éroder le doute non fondé. Vous connaissez l'histoire du nouveau marié qui refusait obstinément de coucher avec sa bien-aimée ? Il n'était pas encore convaincu que le « timing » était bon !

3. **Vouloir faire durer sa victoire personnelle.** Vous avez encaissé une vingtaine de refus plus ou moins polis, une demi-douzaine de non catégoriques, et vous parvenez à un oui. Vous voulez étirer le plus longtemps possible ce moment gratifiant.

Cette erreur est presque impossible à détecter. L'écoute d'un échange enregistré peut vous le prouver. Vous allez presque certainement vous entendre retarder le moment magique.

4. **Vouloir impressionner.** Ici on a affaire à une variante du sentiment de victoire. Vous n'êtes pas en train de vous impressionner vous-même, mais d'épater la galerie qui se résume à une seule personne. De plus, cette personne n'apprécie pas du tout de pavaner. Dans le fond, vous tentez de compenser une insécurité en forçant votre interlocuteur à vous admirer. Si vous étiez acteur, la logique peut tenir puisque les applaudissements sont un facteur majeur de rémunération. Si vous êtes représentant, vendeur ou conseiller, votre rémunération tient plutôt à la valeur des contrats signés.

Signes illustrant la crainte de conclure

Nos émotions masquent trop souvent notre jugement. Voici quelques indices.

Pensée ou paroles	Fréquence à laquelle vous pensez cela		
	Parfois	Souvent	Trop souvent
Oh m..., je sens qu'il se désintéresse !			
Ah non, je dois redoubler d'effort pour le ramener !			
Oups ; ça allait pourtant bien… L'écœurant, il me disait oui et maintenant il change d'idée !			
Encore un hypocrite qui semble vouloir, et qui dit non !			
Ça y est ; il change son capot de bord sans préavis !			
Je ne le laisserai pas changer d'idée à ce stade ; j'en remets !			

Vous auriez voulu cocher Jamais ? Tous les représentants et vendeurs commettent ces erreurs ; les meilleurs les commettent moins souvent que vous. Les champions les commettent rarement, c'est tout.

À cela on peut ajouter quelques comportements qui devraient vous avertir que vous êtes en train de retarder le moment magique :

- Vous utilisez une troisième fois un même argument pour consolider son opinion.

- Vous entamez plusieurs phrases avec les mots « Et de plus... » sans que le client ait fourni de réponse ou émis d'objection.

- Vous ajoutez un commentaire personnel agréable mais non pertinent lorsqu'un client affiche un net penchant positif.

Par exemple, il dit « Ouais, ça me paraît logique » et vous répondez « En effet, c'est logique, d'autant plus que cela permet de... » Vous orientez alors l'élan vers un nouveau tour de piste au lieu de croiser le fil d'arrivée !

- Vous ajoutez un petit détail non essentiel lorsque le client parle de modalités de livraison. Vous pourriez ajouter cet élément immédiatement après l'accord, alors pourquoi vous entêter à retarder le moment magique. Par insécurité ?

- Vous insérez des petits silences avant de réagir à un penchant positif de votre interlocuteur.

Par exemple, un client vous dit « Ouais, vu sous cet angle-là... » et vous attendez deux secondes pour lui laisser le temps de poursuivre sa pensée (au lieu de répondre « Je suis d'accord avec vous ! »).

Offrir une entente finale, jamais la quémander !

Nous voici au moment le plus agréable de l'entretien. L'accord pour conclure une entente. Votre travail de préparation, de scénarisation ainsi que votre habileté à créer un rapport avec le client dans le feu de l'action sont des éléments qui convergent vers la ligne d'arrivée. C'est un moment où les vétérans et les débutants ressentent le même plaisir, à la fois professionnel et personnel. Ce moment ne s'explique pas ; on le vit, on le ressent et on espère le revivre souvent. L'essentiel est de vivre ce moment de façon intense, sans en perdre la raison.

2 histoires vécues

Un représentant (appelons-le Henri) chevronné d'une entreprise locale s'est récemment joint à une équipe de vente de statut provincial. Après avoir subi une bonne quantité de revirements, de relances et de refus, il a enfin décroché son premier « oui ». Voyant se concrétiser sa première victoire dans les ligues majeures, il s'est écrié fortement « ***OUAIS ! Je l'ai !*** ». Le client a aussitôt raccroché. Ses collègues ont immédiatement pouffé de rire. Ils savaient que Henri venait de « rater son premier succès ». Depuis, Henri porte le surnom de « Oui-oui ».

Une recrue dans un grand centre d'appels (appelons-la Aline) s'est mise au travail avec le sérieux et la rigueur qui reflétaient bien ses 50 ans. Après une première journée sans un seul « oui », elle affichait toujours un enviable air de retenue et de détermination. Au deuxième jour d'une campagne difficile, elle tenait le coup, mieux que tous. Vers 11 h, elle décrocha un premier « oui probable ». Cinq de ses collègues l'ont compris, sans qu'elle n'ait eu à le dire, parce qu'elle a tout simplement failli tomber de sa chaise.

Noter le moment magique

La différence entre les vendeurs ordinaires et extraordinaires consiste en la capacité des seconds à percevoir les émotions, les valeurs, les désirs et les penchants derrière les mots. L'hésitation de certaines vedettes à partager leurs secrets de métier est regrettable, mais compréhensible. Mettez-vous à leur place. Certains des meilleurs parmi les meilleurs ont appris sur le tas, à force de travail acharné, d'intelligence et de créativité. Vous avez peut-être bénéficié d'un cours professionnel, de programmes de soutien à l'emploi, etc. Pourquoi ces autodidactes passionnés voudraient-ils vous refiler gentiment des idées ou des tactiques qu'ils ont mis des décennies à peaufiner ? Une seule raison peut provoquer cette générosité professionnelle, l'assurance que ces trucs du métier serviront l'équipe entière et non une jeune recrue qui exige d'avoir tous les trucs tout de suite.

Voici cinq indices qui confirment un élan final vers un accord.

1. **Manifestation d'un propos prédéterminé du client.** Certains scénarios assez bien ficelés ont été prétestés afin d'identifier les mots clés énoncés par le client.

Par exemple, une équipe d'agents avait noté qu'une majorité de clients potentiels utilisait une expression ou une question particulière avant d'accepter une offre. Les agents ont avisé leur gestionnaire qui a refilé la donnée au client. Le scénario a été adapté pour favoriser l'utilisation de cette expression par la clientèle cible.

2. **Changement de la fréquence ou du rythme des silences chez le client.** Un client qui laisse passer plus fréquemment des petits silences réfléchit. Un interlocuteur qui augmente soudainement son débit affiche ainsi sa volonté de prendre bientôt sa décision.

3. **Changement de ton et d'intensité des réponses.** Une personne dont le ton neutre et réservé devient plus animé ou plus personnel ressent probablement un fort penchant positif. Un client qui passe des réfutations techniques précises à des objections plus générales est en voie de passer à la caisse.

4. **Propos liés aux avantages ou bienfaits de l'utilisation de produits ou services.** Quand votre interlocuteur transfert ses hésitations, objections ou contraintes du produit ou du service vers des modalités d'implantation ou d'utilisation, il progresse nettement vers une décision d'achat. S'il a des doutes ou des

objections quant à la réparation ou à l'entretien préventif, vous pouvez raisonnablement conclure qu'il a consciemment ou inconsciemment déjà acheté.

5. **Changement inattendu dans la nature des propos.** Un interlocuteur calme qui commence à glisser des jeux de mots ou des commentaires personnels sans lien avec votre offre est soit en mode décrochage ou en mode achat. Dans le premier cas, il conserve ou adoucit son ton initial ; dans le second, son ton de voix monte ou descend de façon marquée.

2 *dangers de trop vouloir vendre*

Disons que vous êtes perfectionniste et doutez constamment de la qualité de votre travail. Vous voulez être convaincu que le moment magique est atteint. Vous continuez donc d'offrir et de vendre. Vous mettez ainsi en action deux grandes réactions prévisibles.

1. **Perdre la confiance du client.** Votre interlocuteur, qui était prêt à accepter votre offre, constate votre incapacité à saisir le moment et à offrir une entente finale. Il vous sent tourner en rond et reprend sa position initiale de suspicion. Très peu de clients vont prendre l'initiative de proposer la fermeture (conclusion) d'une entente, car ils veulent se réserver une chance d'exiger une dernière concession.

Une histoire vécue

Un agent d'appels appliquait son scénario avec trop de rigueur et se laissait décourager par des difficultés de parcours. Sa voix, son ton, ainsi que sa modulation en souffraient. Après une vingtaine d'appels infructueux parsemés de plusieurs «presque ventes», un client compréhensif éduque cet agent.

Client : « Monsieur, vous pouvez cesser de vanter votre produit, je l'achète. »

Agent : « Quoi ! »

Client : « J'achète parce que le produit me convient et... » (hésitation)

Agent : « Et ?... »

Client (un peu gêné) : « ...Et j'étais prêt à dire oui, mais vous insistiez pour finir votre présentation. »

Agent (étonné) : « Hein ? »

Client (aimable) : « J'ai déjà été vendeur et je présume que vous êtes débutant. Travaillez vos "fermetures" et vous aurez une belle carrière. »

Agent (sincère) : « Merci beaucoup, beaucoup ! »

2. **Perdre confiance en soi.** Vous avez le droit de vous sentir déçu et frustré à cause des difficultés inhérentes à votre travail ; vous n'avez cependant pas le droit de transformer ces sentiments en doute. La frustration est un sentiment passager ; le doute est un état d'âme souvent permanent. En doutant de vous, vous créez une spirale émotionnelle : « Je rate plus d'appels parce que je doute de moi, et plus je doute de moi plus je rate d'appels. »

Obtenir un OK implicite

Quand vous constatez la présence d'éléments susceptibles de valider une entente (voir texte ci-dessus), vous gagnez à donner un élan en deux mouvements, le premier vers l'arrière et le second vers l'avant.

1. **Reculer un peu.** Tel un athlète qui s'apprête à sauter vers l'avant, faites quelques pas de recul pour prendre votre élan. Résumez en une phrase, un ou deux éléments techniques, un bienfait ou une entente de principe. Vous créez ainsi un terrain sur lequel prendre le dernier élan. Un petit truc : présentez ce résumé sous forme de question ou de question affirmative. Cela amène votre interlocuteur à répondre par oui.

Votre bref recul et résumé	Réaction probable du client
Donc, madame Freline, vous appréciez la simplicité d'utilisation de cette très légère perceuse électrique et vous tenez à une garantie de service après-vente ?	En effet, c'est pour moi essentiel !
Je récapitule, monsieur Paré : vous voulez un bureau qui s'harmonise avec celui que vous possédez déjà, une livraison en 24 heures et surtout une installation lors de la livraison. Est-ce le cas ?	Oui…
Bon, nous avons établi trois critères : la garantie couvre évidemment les frais de main-d'œuvre ; le prix de 345 $ est acceptable ; la période d'essai d'une semaine vous convient ?	En effet !

Le dernier propos mentionne le prix, de façon claire et sans explication (cela a déjà été fait). De plus, le vendeur utilise plusieurs mots qui annoncent le caractère imminent de l'accord, « évidemment, acceptable, vous convient ». Enfin, le client ciblé répond « En effet ! ». Cet échange s'oriente naturellement et respectueusement vers un accord. Vous souriez, c'est bien !

2. **Inviter l'autre à s'avancer.** L'accord a beau être imminent et implicite, il vous revient de le concrétiser. Le client s'attend à ce que vous preniez la direction des opérations (leadership), à condition que rien n'y paraisse. Cette affirmation vous semble contradictoire ? Tant mieux, vous allez apprécier la logique qui suit.

Le client sait qu'il est roi et qu'il possède le droit de dire non, de changer d'idée et croit qu'il peut revenir sur sa décision. Vous devez donc partager le pouvoir et la responsabilité de cette décision finale :

- Le vendeur a le pouvoir de conclure une entente.

- Le client a le devoir d'être responsable dans son acceptation.

En termes techniques, c'est vous qui proposez et validez la vente, et c'est le client qui prend et assume sa décision. Souvenez-vous qu'il y a une grande différence entre vendre sur le plancher et vendre au bout du fil. Dans le premier cas, le client prend l'objet en main ou s'approche pour signer un contrat de service ; dans le second, il ne peut pas le faire et il est à 2 ou à 2 000 kilomètres. Vous devez donc rendre ce moment le plus concret, le plus réel possible.

Suite d'un bref recul et résumé	Réaction probable du client
Enchanté de savoir que vous accordez une réelle importance à ces éléments. Y a-t-il une dernière chose que vous voulez clarifier ?	Je pense que c'est clair.
Donc, vous voulez la continuité livraison-installation en 24 heures ! C'est votre position finale ?	Oui.
Je suis content de constater que ces éléments vous conviennent ; nous avons bien travaillé ensemble !	Eh oui !

Vous avez certainement noté le caractère personnel et relationnel de cet échange. Le premier mouvement consistait à planter un piquet, celui-ci consiste à valider la solidité de cet ancrage.

Dans certains cas, vous pouvez sauter cette validation si vous estimez la première entente suffisamment solide. Votre sens de l'analyse et votre jugement sont ici les seuls outils dont vous aurez besoin.

Obtenir un OK explicite

Après ce qui peut ressembler à une demi-heure, mais qui ne dure que deux ou trois secondes, vous êtes au cœur du moment magique. L'entente implicite (c'est-à-dire ce qu'on perçoit sans avoir à le dire) devient explicite (autrement dit, s'affiche de façon évidente).

Quatre techniques vous aident à confirmer une entente finale ; elles ont toutes la caractéristique de situer l'entente juste avant/après le présent immédiat (où le moindre oubli, la plus petite erreur peuvent anéantir les gains obtenus).

1. **Confirmer au mode passé immédiat.** En optant pour cette technique, vous situez l'entente comme déjà conclue.

Exemples de confirmation au mode passé

Ça m'a fait plaisir de vous avoir aidé à prendre votre décision.

Monsieur, vous êtes devenu un bon client ?

Bon, nous sommes arrivés à une belle entente.

Vous avez apprécié l'utilisation de la technique Affirmation interrogative de la deuxième phrase ? Bravo pour votre excellent sens de l'observation.

2. **Demander la permission de servir au mode futur immédiat.** Plusieurs affirment que cette méthode est plus efficace, car elle accélère un peu le rythme de communication et rapproche davantage le client d'une confirmation.

Exemples de confirmation au mode futur

Madame, je vais finaliser pour vous les modalités de livraison.

Et maintenant, regardons l'horaire de livraison.

Qui pensez-vous affecter à la supervision pour la mise en marche de ce projet?

Vous ressentez bien le mouvement vers l'avant? Testez cette façon de faire dès votre prochain appel.

3. Attendre la réaction (accord) du client

Cette tactique est de loin la plus difficile, car elle exige de vous une confiance suprême et des nerfs d'acier. Utilisez-la seulement lorsque vous aurez maîtrisez les techniques précédentes. Vous résumez des éléments d'entente, puis gardez un silence volontaire, qui peut durer deux ou trois secondes.

Exemples de silence volontaire

Cela résume les points sur lesquels nous sommes d'accord...

Donc, vous appréciez notre rapidité et notre tarif...

Et vous avez le goût de conclure en disant...

• Stoppez en plein vol

Ayant présenté un accord implicite (sous-entendu, informel), vous faites d'une pierre «quatre» coups.

1. Vous laissez au client le pouvoir final de prendre sa décision.

2. Temps de solitude. Vous laissez le temps faire son travail, celui d'amener l'autre à réfléchir seul et à prendre une décision personnelle. Ne pouvant plus réagir à vos propos, il doit penser à sa décision. Si celle-ci est négative, vous pourrez relancer et négocier, alors faites confiance au silence!

3. Vous remettez entre les mains du client la responsabilité de sa confirmation. Celui-ci sera moins porté à rouvrir ou à contester l'entente au cours des jours ou semaines à venir, comme c'est trop souvent le cas lorsque la vente est confirmée par le vendeur qui affiche un trop grand empressement. Le client pourra toujours dire qu'il s'est fait avoir ou que le vendeur a usé d'une tactique de presssion.

4. Vous conservez une marge de manœuvre pour relancer la présentation si jamais le client décline l'offre de confirmer l'entente. Face à un recul ou à une ultime hésitation du client, vous pouvez revenir sur vos pas sans vous mettre sur la défensive.

Exemple de relance ultime à la suite d'un faux refus de confirmation par le client ☎

Vendeur : « Qui pensez-vous affecter à la supervision de la mise en marche de ce projet ? »

Client (affichant une rapide hésitation) : « Minute ! Vous allez un peu vite ! »

Vendeur (calme, sur le même ton et rythme) : « Monsieur Ferrand, cette information est utile pour nous comme pour vous, car les qualifications de la personne-ressource que vous affecterez pour superviser la mise en application de nos services a un impact sur la durée d'implantation et sur le prix final. »

Client (moins hésitant) : « Ah, bon... »

Vendeur : « Et le type de personne-ressource serait... »

Client : « Je mettrais à contribution la directrice des opérations, qui peut prendre plusieurs décisions sur place »

Vendeur : « Quelle est le meilleur moment pour commencer le travail ? »

Client : « Pas avant le début du mois prochain. »

Vendeur : « Parfait ! Je note que le projet commence le 1er mars ! »

Client : « OK » !

Comme on dit populairement : « Le gars a viré sur un cinq cents et sur les intentions réelles du client. »

Pour développer cet aspect des ententes finales (*closings*) consultez le livre *Cessez de vendre : laissez votre client acheter,* par C. Roberge, Éd. Transcontinental.

4. **Demeurer dans le mode présent.** Cette option demeure valable, surtout lorsque l'ensemble de l'échange se déroule sur le ton de la collaboration. Quand le client a un réel et urgent besoin de votre produit ou service.

Cette technique comporte un danger : la probabilité que le client relance la négociation ou exige de nouvelles concesssions. Le moment magique ne dure qu'une ou deux secondes. Tout étirement de ces quelques secondes augmente vos risques de rater une vente sans raison valable.

Offrir des félicitations

Comme pour un bon *swing* au golf, vous devez continuer votre mouvement après avoir frappé la balle. Beaucoup de vendeurs offrent un merci sincère, mais peu convaincant auquel le client ne réagit que peu ou pas.

Histoire vécue

Un représentant (dont on va taire le nom par sympathie !) a réussi une vente difficile après trois appels de négociation. Dès que l'entente finale fut convenue, le représentant a terminé l'échange ainsi :

Vendeur (avec un plaisir teinté de soulagement) : « Merci beaucoup de nous avoir fait confiance ! »

Client (sur un ton soudainement moins enthousiaste) : « Vous êtes surpris qu'on vous ait fait confiance ? »

Vendeur (décontenancé) : « Euh, c'est-à-dire que…. »

Trop de mercis sont malencontreusement orientés vers soi-même et non vers le client :

- Merci d'avoir acheté chez nous.

- Merci de votre confiance.

- Merci d'avoir choisi notre firme.

- Merci, merci beaucoup !

- Merci, je savais qu'on s'entendrait !

Ces petites phrases sincères et parfois chaleureuses impriment un mouvement de retour vers soi, au moment où le client aimerait mieux ressentir sa propre satisfaction. Vous avez réussi votre vente, et votre client doit aimer son achat.

Féliciter en se concentrant sur le client

En percevant et en situant le succès du point de vue de votre client et en fonction de ses valeurs à lui, vous enracinez sa décision dans son terrain.

Exemples de félicitations centrées sur le client

Excellent choix en fonction de vos contraintes de temps !

Madame Fredette, vous avez opté pour une solution rapide et sécuritaire !

C'est une belle façon de résoudre vos problèmes d'entretien des lieux !

Féliciter sans mentionner l'achat

La somme déboursée est un des éléments de l'accord, notamment la qualité, la sécurité, le service d'entretien, les modalités de paiement, la réputation de l'entreprise, etc. Pourquoi donc terminer l'échange en insistant justement sur ce point ? Mieux vaut solidifier l'entente sur la base de la confiance et du respect mutuel.

Exemples de félicitations sans mention de la somme

Excellent choix, surtout en fonction de vos contraintes de temps et du rapport qualité/légèreté.

Madame Fredette, vous avez opté pour une solution rapide et sécuritaire dans le respect de vos normes de rendement.

C'est une belle façon de résoudre vos problèmes d'entretien des lieux, tout en limitant votre investissement.

Vous avez noté l'utilisation de tournures qui suggèrent la somme (rendement, investissement) ? Parfait ! Vous reconnaissez qu'on peut se frotter à la somme sans s'y piquer !

Féliciter en fonction du résultat ou du bienfait pour le client

Cette façon de féliciter a la cote chez bon nombre d'entrepreneurs, représentants et vendeurs performants. Vous situez le merci dans un esprit de continuité qui facilite la sollicitation de nouveaux contrats.

Exemples de félicitations centrées sur les bienfaits pour le client

> Excellent choix en fonction de vos contraintes de temps ; vous pouvez prévoir une économie de temps dès le mois prochain !

> Madame Fredette, votre choix vous permet d'oublier les tracas de sécurité et de vous concentrer sur vos projets de développement.

> Vos problèmes d'entretien des lieux sont réglés ; vous aurez peut-être plus de temps pour le golf et moins de soucis.

Ces façons de féliciter le client n'empêchent pas de dire un rapide merci à la toute fin de l'entretien, une seconde avant de raccrocher.

Raccrocher en premier, peut-être

Contrairement à Lucky Luke (cowboy de bandes dessinées), vous n'avez pas l'obligation de raccrocher plus vite que votre ombre. Vous avez un choix à faire selon les circonstances.

1. **Laisser le client raccrocher en premier.** Vous avez lancé l'échange ; c'est à lui de le terminer. Raccrocher soi-même en premier peut avoir comme effet de couper la parole au moment où le client voudrait ajouter une information importante ou simplement remercier à son tour.

2. **Raccrocher en premier.** Quelle logique vous inciterait à raccrocher en premier ? La ruse avec un client qui, par le passé, a démontré une nette tendance à étirer et à alourdir l'échange. Ce type de client peut même repartir la discussion sur l'entente, y apporter des ajouts inutiles ou déraper vers un monologue sans lien avec l'échange. Vous pouvez alors raccrocher en premier, à condition d'y aller avec finesse.

Exemples de façons de raccrocher justifiées

Je sais que vous êtes occupé, alors je ne vous retiens pas! À bientôt! (clic!)

Vous pouvez maintenant passer à votre prochain défi; au revoir! (clic!)

Je suis heureux d'avoir réglé... (clic!)

Ces façons de raccrocher ont l'avantage de rehausser l'amour-propre de votre interlocuteur. Ils peuvent aussi vous faire gagner jusqu'à une heure par jour quand vous faites des appels en série.

Organiser le suivi de l'appel

Le but de ce livre est davantage centré sur les techniques de vente de première ligne, alors nous aborderons de façon sommaire quelques notions de gestion des ventes.

Les centres d'appels et les grandes entreprises possèdent des procédures, normes, méthodes administratives et protocoles complets. Chaque entreprise ayant ses coutumes et contraintes particulières, il serait peu productif de faire ici une liste des options.

Les entrepreneurs, les représentants et les vendeurs peuvent cependant se référer à des lois non écrites de la vie au téléphone. Elles sont fort simples, mais souvent oubliées dans le feu de l'action.

La loi du papier

« Les paroles s'envolent... » dit le proverbe. Mettez l'entente par écrit le plus rapidement possible. Pas besoin d'attendre la rédaction finale d'une entente juridique. Il suffit de transmettre une confirmation par télécopie ou par courriel. Si vous demandez à votre client de le faire, il pourrait rédiger un message erroné.

La loi de l'écho

« L'écho renvoie fidèlement les sons, à condition que l'on demeure sur place pour les écouter. » Certains utilisent la technique du double rappel, pour renforcer la valeur de l'entente verbale jusqu'à ce que le contrat ou le bon de commande soient signés. Ils envoient un courriel ou un message par télécopie dans les 15 minutes qui suivent l'entente. Quelques heures plus tard ou le lendemain, ils relancent le client (par téléphone, par courriel) afin de lui transmettre un petit complément d'information. Par exemple, une confirmation sur un détail intéressant, une nouveauté, etc. Bref, ils habituent leur nouveau client au son de leur voix et lui font voir qu'il est sur leur liste de dossiers prioritaires. Ces petits soins personnels font souvent la différence entre un client satisfait et un client enchanté.

La loi de la visite de passage

« Nous aimons recevoir deux sortes de visites, les gens qui arrivent et qui partent vite, et les gens qui arrivent lorsqu'ils sont invités et qui partent avant qu'on leur demande de le faire. » Planifiez une très brève visite du client, en passant. Vous pouvez aussi aider le hasard et participer à des activités sociales ou d'affaires où le client est susceptible de se rendre ou encore vous arranger pour qu'un de vos contacts puisse transmettre un « petit bonjour de la part de... » Pour développer cette technique à la fois productive et discrète, consultez les livres *Réseautage d'affaires : mode d'emploi* de Lise Cardinal et Johanne Tremblay et *Comment bâtir un réseau de contacts solide* de Lise Cardinal, Éditions Transcontinental.

Se motiver
quand ça presse !

L e seul fait d'échanger avec une personne que vous ne pouvez voir peut drainer 50 % de votre énergie. Les vétérans de la vente en magasin ou sur la route savent que dans certains domaines on peut survivre avec un taux de succès de l'ordre de 3 à 10 %, qu'on peut avoir une belle carrière avec un taux de 15 à 18 % et qu'on devient une star avec un taux entre 20 et 30 %. Les gestionnaires de campagne savent aussi qu'un taux de réussite de plus de 30 % renvoie à deux options : ou le prix est trop bas, ou le vendeur fait secrètement de dangereuses concessions.

Accepter et gérer ses états d'âme

La seule façon d'éviter entièrement les états d'âme consiste à... ne pas avoir d'âme. Votre capacité à vouloir et à apprécier la réussite est directement reliée à l'acceptation des difficultés et des échecs.

Une histoire vécue

Un agent d'appels (qu'on nommera Untel, par discrétion) travaillait sans relâche et sans découragement sur une difficile série d'appels. Il était le seul à afficher une humeur égale qui étonnait ses collègues. Il refusait de participer à des petites sessions d'ajustement et de motivation ; il les considérait comme des sessions de thérapie pour les paresseux, les incompétents et les *poqués* de la vie. Après trois jours et quelques heures, cet agent a subitement perdu les pédales en insultant grossièrement un client, en jetant par terre ses documents et en injuriant sa superviseure avant de claquer la porte.

La morale de cette histoire est qu'on gagne à distinguer entre « le » stress et « votre » stress.

Le stress, c'est la pression qui émane de l'environnement de travail, des clients ou des collègues. Bref, on parle d'une pression situationnelle ou conjoncturelle qu'on peut difficilement contrôler.

Votre stress, c'est votre réaction face au stress externe. Ici on parle de perception, d'impressions, de ressenti et d'interprétations, qu'on peut apprendre à contrôler. Un sain degré de stress permet de maintenir l'esprit en éveil et les sens en alerte. Comme une corde de guitare, vous êtes agréable à entendre avec le bon niveau de tension.

Percevoir les signes annonciateurs de découragement

Vous contrôlez rarement le stress situationnel, mais vous pouvez gérer votre stress émotionnel intérieur. Portez une grande attention aux signes avant-coureurs de votre propre stress. Le petit jeu-questionnaire suivant permet de percevoir plusieurs de ces signes. Répondez franchement ; il n'y a pas de note de passage.

Symptômes annonciateurs de stress interne excessif	Souvent	Très souvent	Trop souvent
Gestes physiques rapides et raides			
Petits gestes répétitifs (tambouriner, se balancer, etc.)			
Sensation de chaleur ou de fraîcheur (front, cou, dos, etc.)			
Bourdonnements ou sifflements dans les oreilles			
Respiration plus lente et profonde ou plus rapide et superficielle			
Concentration excessive sur certains détails (ranger trois fois ses crayons, etc.)			
Réduction soudaine de concentration			
Interprétation excessive des propos des clients, collègues ou patrons			
Pertes totales et momentanées d'écoute ou de mémoire.			

Revoir sa tendance à transformer la déception en colère, hostilité ou blâme

Les premières réactions devant l'accumulation de stress consistent à se blâmer « Je devrais me contrôler, qu'est-ce qui me prend ? » et à blâmer les autres « Maudit client ! Mon patron m'en demande trop ! » Ces réactions sont des esquives.

Il se peut que vos parents aient été trop exigeants... Vous aimiez, peut-être, impressionner votre professeur avec des bonnes notes ? Dans ce cas, vous avez oublié de réaliser des exploits pour votre plaisir ou pour celui des gens qui savent les apprécier sans arrière-pensée.

Vos patrons ou gestionnaires s'attendent à ce que vous produisiez un effort raisonnable et constant. Ils ne recherchent pas un robot ni un super héros.

Redéfinir sa notion de « performance »

Vous arriverez à une performance plus constante dès que vous aurez développé une perception plus nuancée et plus stratégique de la performance. Prenez note des trucs du métier qui suivent. Comme préparation mentale, dites-vous qu'un soldat vivant est plus utile à son armée que celui qui désire mourir pour la patrie !

11 techniques pour maintenir ou retrouver son optimisme

Ces techniques peuvent en quelques secondes ou minutes ralentir la fréquence et la gravité de vos moments de découragement. Mieux encore, vous gagnez à y recourir de façon préventive.

Vous vous sentez encore un peu mal à l'aise avec les moyens très peu « hi-tech » pour maintenir ou pour retrouver votre calme ? Vous pensez que ce sont des trucs pour les nuls ? Détrompez-vous et regardez travailler les gens super performants. Vous allez noter qu'à plusieurs occasions et sans avertissement ces gens deviennent immobiles et affichent un air très songeur. Ils sont occupés à reprendre en main leur optimisme et dans ces moments de grande concentration, ils deviennent momentanément indifférents et sourds à tout ce qui se passe autour d'eux. Ils reviennent ensuite vers leur travail avec une expression de calme sur leur visage.

1. Le soufflet

Comme un forgeron qui attise le feu, prenez une dizaine de lentes et longues inspirations, de préférence par le nez (on ralentit davantage de cette façon et on est plus conscient de respirer). Concentrez-vous sur le son de l'air qui entre et qui sort de vos poumons. L'effet de relaxation est presque immédiat. Une mise en garde ! Si vous respirez rapidement et en surface, vous ferez de l'hyperventilation, sensation très désagréable!

2. La course

Considérez la vente comme un marathon et non comme un sprint. Imposez-vous une certaine retenue dans l'énergie que vous dépensez pour accomplir l'ensemble de votre travail. Donnez un bon rendement à moyen et à long terme au lieu de bourrées fatigantes et déstabilisantes.

3. La marée

Situez votre effort dans le respect de vos mouvements d'énergie et acceptez l'alternance normale de périodes fortes et de temps faibles. Demeurez calme devant une baisse temporaire de rendement et, surtout, évitez de considérer la réussite comme un état permanent.

4. Le télescope

Concentrez-vous sur les étoiles (résultats à venir) plutôt que sur les nuages (difficultés). Visualisez le travail à faire demain, la semaine prochaine et maintenez le tempo. Les astronomes savent de quoi il retourne. Ils scrutent le ciel pendant des jours pour percevoir un petit point qu'ils savent être là.

5. Le microscope

Cette variante de la méthode précédente vous suggère d'accorder une très grande importance à un tout petit détail dans le présent immédiat. Vous en êtes à 23 appels sans succès? Regardez attentivement la propreté de votre bureau, prenez plaisir à noter la qualité de votre écriture sur des notes de suivi, prenez une minute pour faire le ménage de votre bureau ou de vos tiroirs.

6. Le roman

Votre journée commence comme un roman d'action et devient un roman d'horreur? C'est vous l'auteur, alors modifiez le manuscrit!

Imaginez que le roman devient un roman d'intrigues. Percevez votre journée comme un chapitre de ce livre et inventez-en le titre. Par exemple : « Chapitre quatre : le calme revient ! »

7. Le sport

Considérez que votre journée se divise en périodes d'une ou deux heures. Visualisez vos propos et vos gestes comme les éléments d'une stratégie de jeu au hockey ou au football. Imaginez chaque client potentiel comme un membre de votre équipe, à qui vous devez faire et recevoir des passes pour compter le but vainqueur. Une objection ou une contrainte deviennent des rebonds, etc. Cette méthode permet de situer un échec dans un contexte de continuité.

8. L'entraîneur (coach) invisible

Pensons ici à l'ami imaginaire des enfants. Étant adulte, vous ajustez la technique et vous donnez un titre professionnel à cet ami devenu adulte lui aussi. Optez pour l'une des variantes suivantes :

- Prodiguez-vous mentalement des conseils, des encouragements et des compliments précis. Votre esprit communique avec votre cerveau. Une fois passée la gêne de recourir à une technique d'enfant, vous noterez qu'elle est tout aussi efficace aujourd'hui que jadis.

- Prodiguez-vous à haute voix des conseils, encouragements et félicitations. Ayant trouvé un endroit discret où vous parler (salle vide, salle au sous-sol, etc.), vous pourrez ajouter l'énergie et l'enthousiasme requis à ces sessions de motivation personnelle. Cette technique vous paraît gênante ? Vous avez raison ; c'est pour cela qu'elle est encore plus efficace. En variante, utilisez deux timbres de voix et répondez-vous.

9. Le papa-maman responsable

C'est une variante de l'entraîneur (*coach*) invisible. Vous vous parlez par personne interposée. Imaginez que ce n'est pas vous, mais votre enfant qui est sur le point de se décourager, puis prodiguez-lui des encouragements. Pensez à ce qu'un parent aimant et responsable lui dirait.

10. Le soldat intelligent

Puisque vous vous battez pour atteindre vos objectifs, raisonnez comme un soldat face à une toute petite colline sans importance mais capitale pour la guerre : « Est-ce pour cette colline-là que je vais donner ma vie ? » Quitte à vous tuer à l'ouvrage, faites-le pour une raison et à un moment mieux choisi. Il n'y a pas de monument pour ceux qui se tuent par erreur.

11. Le voyage dans le temps

Si le moment présent devient difficile à supporter, quittez-le ! Devenez immobile et pensez très attentivement à un moment et à un endroit où vous éprouvez un très grand calme (sur le bout d'un quai à l'aube, en forêt, au 14e trou sur un terrain de golf, etc.). Imaginez les moindres détails, la couleur du ciel, l'odeur des lieux, la force du vent, les sons ambiants, etc. Ce voyage dans le temps peut, en quelques secondes, vous ramener au calme.

16 techniques quand on a du temps

Si vous utilisez seulement des techniques brèves et rapides dans le feu de l'action, vous risquez de ressembler à un mécanicien qui tente de mettre de l'air dans un pneu percé.

Les gens qui durent longtemps dans le métier savent accumuler des réserves d'énergie intellectuelle et émotionnelle. Parmi les techniques rapidement présentées ci-dessous, choisissez-en au moins quatre, puis faites-vous un plaisir et non l'effort d'y recourir souvent. Faites-en des variantes.

1. Écouter les enregistrements de vos échanges

Que vous travailliez dans une équipe de 100 agents ou seul dans votre bureau, l'écoute des enregistrements de vos conversations représente un outil de critique constructive, une technique de motivation et une occasion de formation continue.

1re variante

Écoutez attentivement un échange trois fois, chaque fois en notant un aspect de votre présentation et de votre échange : la modulation de votre voix, votre gestion des objections, votre tactique de relance et de rebond, votre « fermeture », etc. En faisant l'écoute avec un collègue d'expérience ou avec un superviseur ambitieux, vous apprendrez beaucoup sur votre manière de composer avec les gens au téléphone.

2e variante

Écoutez en équipe une série de trois ou quatre échanges, avec le même souci d'analyse. Faites une critique constructive de la performance, soulignez ce qui est bon et excellent et déterminez ce qui peut le devenir. Enfin, préparez en groupe des mesures correctives. Si les sportifs professionnels utilisent systématiquement cette méthode, vous n'avez aucune raison d'être gêné d'y recourir.

3e variante

Écoutez un ou plusieurs échanges, mais en vous concentrant sur les stratégies et tactiques des clients. Identifiez les types d'objections, les changements de voix, les indices d'intérêt ou de refus, etc. Identifiez les techniques les plus susceptibles de gérer ces propos de clients.

2. Passer et arrêter devant une cour d'école primaire

Ajustez votre trajet entre la maison et le lieu de travail afin de passer devant une école primaire, puis ralentissez lorsque vous passez devant la cour de récréation. Écoutez et regardez les enfants qui jouent. Cette joyeuse cacophonie procure habituellement une rapide et profonde sensation de bien-être. Si ces sons vous énervent, vous vieillissez mal !

3. Jouer avec des enfants

La beauté de cette technique est double ; vous retrouvez l'esprit du jeu et de la relation immédiate avec autrui. Mieux encore, votre enfant (neveu ou nièce) va constater que vous vous intéressez à lui. Ce ne sont pas vos clients qui viendront vous rendre visite au foyer ou au centre d'accueil, ce sont vos enfants.

4. Fabriquer des beaux cadeaux pour des parents ou amis

Cette technique peut se révéler très efficace, puisque vous faites d'une pierre quatre coups. Vous décrochez totalement des soucis quotidiens pendant que vous fabriquez ces cadeaux ; vous développez un talent d'artisanat ; vous pensez avec affection à la personne à qui vous destinez ce cadeau ; vous faites un réel et durable plaisir aux gens concernés (si votre cadeau est effectivement bien fait, sinon vous forcerez ces pauvres amis à inventer un prétexte pour expliquer comment ce cadeau a été perdu ou volé !).

5. Jouer au volley-ball

De tous les sports, le volley-ball est probablement celui qui développe le plus rapidement l'esprit d'entraide et d'effort collectif. Les membres de l'équipe peuvent (et doivent souvent) toucher trois fois au ballon avant que celui-ci puisse être envoyé de l'autre côté du filet.

Une histoire vraie

Une équipe de travail affichait une excellente productivité ; les employés performants étaient curieusement moins scolarisés et moins *bolés* que l'ensemble des employés. Tous travaillaient dans des cubicules, mais les plus scolarisés avaient tendance à prendre leurs pauses et leurs repas seuls dans la cafétéria climatisée. Les employés ordinaires, mais très performants, prenaient leurs pauses en groupe et jouaient au volley-ball deux ou trois fois par semaine, parfois même juste avant de faire une longue série d'appels.

Un gestionnaire a suggéré de créer des équipes, mais les employés performants ont répondu : « Il faut que les gens veuillent jouer ensemble pour le plaisir, sans obligation. » Le gestionnaire a compris et a aménagé l'espace de loisir de façon à ce que l'ensemble des employés puissent le voir. Résultat net, presque tout le monde s'y est mis. Gageons que l'esprit d'équipe et d'entraide est meilleur ici que dans plusieurs entreprises que vous connaissez !

6. *Jouer aux dames, aux cartes, au mah-jong ou aux échecs*

Certains jeux sont particulièrement adaptés pour développer les facultés intellectuelles telles que la perception, l'analyse, la créativité et la planification. Apprenez à jouer à ces jeux et vous noterez que votre sens de l'analyse et de la stratégie deviendra plus vif et plus créatif.

Toujours dans un contexte de non-urgence, vous pouvez réaliser des exercices collectifs. Mettez-vous en groupe et faites des concours à première vue farfelus, mais qui, au fond, permettent d'évacuer rapidement et collectivement les frustrations et de développer une meilleure attitude.

7. *Retenir le plus longtemps son souffle ou tenir une note*

Cette technique développe votre sens de la retenue et de la planification. Elle augmente également votre capacité de concentration et votre calme.

8. *Réciter une très longue phrase sans prendre son souffle*

Entre des collègues adversaires et devant un jury de collègues, lisez une phrase particulièrement ardue. En variante, chacun doit lire la phrase en y intégrant une émotion particulière (sympathie, humour, arrogance, surprise, colère, etc.). Cet exercice de débordement volontaire donne souvent lieu à des moments hilarants et instructifs.

9. Trouver le plus rapidement possible sept synonymes d'un mot

Par exemple, certain = garanti, sûr, fiable, durable, établi, appuyé, établi. Cet exercice développe le vocabulaire et facilite aussi la gestion des objections.

10. Éviter de répondre par oui ou non

À tour de rôle, des collègues et vous devez répondre à un barrage de questions essayant de vous faire dire oui ou non. Cet exercice développe la rapidité d'esprit et le sens de la réplique. Demandez conseil à des enfants qui excellent souvent à ce jeu !

11. Lire des biographies et autobiographies

En prenant connaissance du cheminement et des valeurs des gens qui ont connu une vie exceptionnelle, vous pouvez identifier et développer des valeurs similaires, que vous possédez mais ignorez probablement. Évitez les biographies ouvertement promotionnelles de certaines vedettes, au profit de gens des milieux du sport, de la découverte, des affaires, de la santé. Bref, des gens qui ont surmonté leur condition.

12. Visionner certains canaux de télévision

Regarder des canaux spécialisés (histoire, science, documentaires, voyage, etc.) pour apprendre à voir des lieux nouveaux, à entendre des raisonnements différents et à constater l'existence de valeurs différentes. Cela ouvre l'esprit et permet de mieux saisir la logique, à première vue déroutante, de clients provenant de cultures ou de pays différents.

13. Visionner des comédies ou des intrigues

Louez des films drôles et regardez-les en famille ou en groupe. Regardez des comédies du cinéma muet (notamment celles de Charlie

Chaplin et de Buster Keaton) pour apprécier la subtilité du non verbal et des relations, quand tout le monde est muet.

14. Faire de l'exercice physique

Méfiez-vous un peu de certains motivologues qui vous disent qu'il s'agit de vouloir pour réussir. L'attitude est une chose fort utile ; la santé physique est essentielle. Votre cerveau ne peut pas indéfiniment fonctionner mieux que votre corps.

Une histoire vécue

Une agente d'appels particulièrement efficace (présumons qu'elle se nomme Élisabeth) était presque aveugle.

Elle avait cependant deux qualités. Elle avait développé une exceptionnelle maîtrise de sa voix et elle faisait des exercices. La majorité des agents dits normaux ne pouvaient suivre sa productivité, ou sa bonne humeur exceptionnellement stable.

Les deux dernières techniques sont très importantes et peuvent avoir un effet qui déborde largement le cadre du travail professionnel. Elles exigent un effort de volonté et développent une sérénité qui vous sera utile dans la vie.

15. Complimenter quelqu'un sincèrement

Supposons que vous soyez découragé et songiez à quitter le métier. Vous ne trouvez pas en vous le plus petit vent d'optimisme. Cessez de ruminer et faites un compliment à une personne que vous aimez ou que vous respectez. Appelez votre grande fille et encouragez-la pour son examen du lendemain. Décrivez clairement à votre conjoint(e) une raison pour laquelle vous l'appréciez, etc.

Petit truc. Regardez une photo de cette personne pendant que vous lui faites le compliment. À rendre une personne heureuse, vous recevez en retour un sentiment de connexion avec la vie, un sentiment de puissance émotionnelle. Essayez cette technique aujourd'hui même.

16. Encourager un collègue

Cette variante vous suggère de porter assistance ou d'encourager un collègue, un subalterne ou un gestionnaire. Faites l'effort de souligner un comportement ou une action que vous appréciez. Le seul fait de vous déplacer quelques secondes ou minutes vous permet de constater l'effet positif que provoque votre compliment (qui doit être précis et sincère).

Une sous-variante : portez assistance à une personne qui a besoin d'un petit coup de pouce. Les stagiaires et les débutants apprécieront votre aide et vos encouragements. De ce fait, vous développez une relation d'aide concrète et de respect. Indépendamment de ce que vous pensez de vous-même, il y aura dans l'entreprise au moins deux ou trois personnes qui auront une haute estime de vous !

En conclusion, parlez ouvertement et clairement de vos défis face à la performance, en évitant de *psychologiser* le sujet. Parlez de performance comme certains membres d'équipes sportives le font avant et entre chaque partie d'un important tournoi.

Faire un bilan, ou deux ?

C e chapitre sera bref, pour deux raisons. Dans un premier temps, les entreprises spécialisées dans la vente par téléphone possèdent leur propre façon de faire et leurs outils de bilan (formules, bases de données, logiciels, etc.) ; ces outils sont à juste titre considérés comme des secrets d'État. Dans un deuxième temps, la plupart des représentants, vendeurs et entrepreneurs n'aiment pas la notion de bilan ; ils préfèrent l'action.

Faire un premier bref bilan après chaque appel

Puisque la majorité des appels ne durent que quelques minutes et que vous pouvez faire une douzaine d'appels à l'heure, vous gagnez à documenter des éléments clés de votre performance. Oublier de faire un premier résumé peut vous placer dans une situation délicate. Par exemple, rappeler la même personne pour confirmer une entente existante, oublier de noter le nouveau titre ou le nouveau numéro de téléphone du client, oublier de faire un suivi pourtant promis, chacune de ces petites erreurs réduit votre crédibilité.

Vous pouvez recourir à plusieurs logiciels de suivi, allant du plus simple au plus complexe. Si vous travaillez à votre compte ou pour une PME, recherchez des logiciels (applications) qui offrent des fonctions simples. Souvenez-vous qu'un très puissant logiciel est parfois très lourd à gérer, surtout quand vous êtes sur la route et loin de votre technicien préféré ! Certains vendeurs possèdent une version allégée de leur logiciel, pour utilisation sur la route. Voici quelques éléments que ce logiciel devrait comprendre :

- Possibilité de rédiger des notes pour chaque contact.

- Possibilité d'inclure des images (photos des gens, de l'entreprise, etc.).

- Possibilité d'indiquer les noms et les coordonnées des intermédiaires (secrétaire, adjoint, etc.).

- Possibilité de modifier ou de créer de nouvelles catégories de données, particulièrement en ce qui a trait aux informations personnelles importantes (types d'objections principales, contraintes particulières, etc.).

- Tri facile et rapide des catégories de données (par nom d'entreprise, par nom des contacts, par région, par adresse, par importance ou par degré d'urgence, etc.) Percevoir une série d'appels par région, thématique ou urgence, peut vous aider à planifier des mini-tournées très productives tout en facilitant le réseautage (vous pouvez mentionner des noms de lieux, vous référer à des gens que vous connaissez, ce qui fait de vous une personne bien connectée dans la région ciblée).

- Facilité de transfert de données vers d'autres ordinateurs, notamment pour faciliter le passage et l'ajout de données sur votre ordinateur central.

- Capacité de connexion avec d'autres logiciels, pour vous aider à télécharger ou ajuster des textes ; pensez notamment à des logiciels de traitement de texte, pour produire des offres ou des rapports de suivi rapides.

Une histoire vécue

Une représentante habile et ambitieuse avait, après cinq essais, établi un contact direct avec le vice-président d'une importante firme. Ce haut gestionnaire avait affiché une réticence ouverte devant la promesse de réalisation en trois jours des services offerts par cette représentante. Celle-ci avait promis de vérifier et de rappeler dans l'heure qui suit.

Elle a rappelé 50 minutes plus tard en se présentant ainsi à la réceptionniste : « Madame Fredette, j'avais promis il y a 50 minutes à monsieur Papineau de valider une information importante et de le relancer dans l'heure qui suit ; je peux compter sur vous pour lui parler brièvement ? »

Vous avez certainement noté qu'ici presque chaque mot est bien choisi :

- La représentante avait bien noté le nom de la réceptionniste.

- Elle a situé son rappel dans le cadre d'une promesse.

- Elle demande la collaboration (et non la soumission) de la réceptionniste.

- Elle souligne qu'il s'agit d'une brève communication de suivi qui était promise.

Prenez note de la grille de suivi ci-dessous, où le représentant accorde une importance capitale (cases en gris) au niveau d'intérêt et à la date de suivi. Relisez la dernière colonne ; on y indique non seulement le jour mais l'heure de rappel prévus. Ce détail vous permet d'établir un lien de crédibilité avec la réceptionniste de l'entreprise ciblée.

Entreprise/ région et tél.	Pers. Titre	Intermé- diaire(s)	Sujet	Date	Message	Niveau d'intérêt	Faire Suivi
Untel inc. Montérégie 450-123-7890	Dir. Achats Aline Flammand	Adj : Hubert Smith	Offre serv. nettoyage	17 nov. 2003	Valider contrainte ISO	3/5	19 nov. 14 h
Points forts							
•							
•							
•							
•							
Points faibles							
•							
•							
•							
•							

Le formulaire est évidemment incomplet, mais il s'agit d'une feuille de notation dans le feu de l'action. Vous tirez avantage à concevoir ou à modifier une grille de suivi sommaire, en fonction de vos objectifs de vente, de votre planification et de vos capacités de suivi.

Vous maintiendrez votre élan et votre concentration si vous établissez un rapide bilan après chaque appel. Ces secondes ou minutes de recul vous permettent de préciser ou de revoir votre scénario de présentation. Mieux encore, elles vous permettent de développer votre style de communication.

Faire le bilan collectif d'une série d'appels

Bien que la vente par téléphone semble être une activité fondamentalement solitaire (vous face à un interlocuteur), le travail de développement des affaires par téléphone gagne à être considéré comme un travail d'équipe. Si vous travaillez avec des agents d'appels dans des cubicules ou avec des collègues dans des bureaux privés ou même en groupe autonome, chacun dans un lieu différent, vous déployez une énergie et récoltez des résultats collectifs. Vous risquez tout autant de souffrir ensemble des erreurs de chaque membre de l'équipe.

Au cours d'une rencontre de bilan collectif, chaque participant est individuellement responsable de sa collaboration au résultat final. Vous trouvez qu'un collègue participe mollement ou émet des doutes non fondés ? N'attendez pas que le superviseur se comporte comme un *ti-boss*, prenez la parole et recentrez ce collègue. Un superviseur qui doit assumer seul le rôle d'encadrement verra graduellement s'éroder son ascendant et son leadership. Si vous l'aidez, l'équipe entière produira un meilleur résultat. Bref, le pouvoir, ça se partage.

Une histoire vécue

Une équipe de 14 agents d'appels travaillait depuis trois jours sur une campagne nationale importante auprès d'une clientèle industrielle à qui on offrait une nouvelle technologie de production. Le gestionnaire demande à l'équipe de faire un bilan collectif.

L'un des agents rétorque : « La belle affaire ; vous nous imposez un bilan d'équipe quand vous nous payez au rendement individuel ! »

Le superviseur répond calmement : « Je constate que le temps est bien choisi pour prendre un peu de repos et de recul... »

Le même agent (un peu moins cynique) : « Ok, Ok... »

Superviseur (toujours calme) : « Indépendamment de la politique salariale que ni moi ni vous n'avons l'autorité de changer, je suggère qu'un bilan collectif permette une meilleure performance individuelle. Est-ce que cela vous semble logique ? »

Trois agents : « En effet. »

Vous avez peut-être noté que le superviseur a évité de recevoir le propos de l'agent comme une attaque personnelle. Vous avez apprécié que le superviseur ait affiché ses limites administratives et sa force de caractère. Avez-vous été surpris qu'il ait demandé aux membres du groupe de valider son point de vue ? C'est pourtant une technique de gestion des objections proposée dans un chapitre antérieur ! La technique de rebond et de relance suivie d'une validation amène le client (les membres de l'équipe) à décider de la validité d'une proposition.

Lors d'une rencontre de bilan, vous pouvez développer une vision plus critique et plus nuancée que ne pourrait le faire le meilleur des spécialistes, simplement parce que vous êtes présents sur la ligne de feu et que vous êtes souvent les mieux placés pour définir des mesures d'ajustement concrètes. Ceux qui préfèrent lancer des réprimandes et répandre le blâme n'ont pas à travailler dans l'équipe. Les éléments ci-dessous brossent un tableau des types de données qui découlent d'un bilan professionnel. À vous d'ajuster et d'améliorer ces éléments de contenu.

1. Tracer un portrait de la disponibilité des personnes ciblées

Quantité et proportion de noms valides sur la liste d'appels
Nombre moyen de contacts en un ou deux essais
Nombre moyen d'essais pour atteindre la personne concernée
Proportion d'appels où l'on doit vendre à un intermédiaire
Périodes de plus grande disponibilité
Autre...

2. Noter les objections, contraintes et conditions, ainsi que les relances

Objections principales

-
-

Contraintes principales

-
-

Conditions de négociation

-
-

3. Élaborer et consolider des répliques, rebonds et relances

Répliques habiles aux objections

-
-
-

4. Déterminer des ajustements et améliorations au scénario (proposition)

Ajustements de vocabulaire

-
-

Ajustements de ton et de rythme

-
-

Ajustement des chiffres ou données techniques

-
-

5. Trouver des pistes de développement

Produits ou services connexes susceptibles d'être offerts

•

•

Périodes ou saisonnalité de ces besoins

•

•

Personnes à contacter dans chaque entreprise ainsi ciblée

•

•

Faut-il exiger des changements ?

La logique élémentaire suggère que les gens les mieux placés pour définir les ajustements soient ceux de première ligne. Cependant, d'autres personnes concernées ont le droit (et le devoir) de présenter leur perception de la situation.

- Le client mandataire d'un centre d'appels peut avoir développé une grande expertise interne et avoir choisi une firme de soutien spécifique pour une campagne.

- Le chef d'équipe peut avoir une perception de la dynamique d'ensemble des agents.

- Le patron peut avoir une idée très claire des conditions et des contraintes de travail dans un secteur donné.

Vous devez proposer des ajustements, à condition de le faire avec doigté et optimisme. La méthode décrite ci-dessous présente des avantages évidents par rapport à la contestation générale et la créativité irresponsable.

1re étape : recueillir des données pertinentes et suffisantes

1re étape : recueillir des données pertinentes et suffisantes

Aucun patron ou client sensé ne peut agir devant une revendication sans fondement. Ne serait-ce que pour des raisons d'amour-propre, il hésitera à plier devant une personne ou un groupe qui insiste pour améliorer une idée susceptible de miner son pouvoir et son autorité. Vous feriez de même. La personne en autorité prend déjà des risques avec une campagne, si bien ficelée fut-t-elle. Elle hésitera à assumer de nouveaux risques sans raison valable. Produisez des statistiques, réunissez des informations valables. Voilà un des beaux résultats des rencontres de bilan.

2e étape : proposer un essai limité et temporaire

Au lieu de demander un changement profond et immédiat (ce qui est souvent le cas des gens très ambitieux et trop créatifs), vous paraîtrez plus crédible si vous proposez un ajustement temporaire. Le patron ou le client peut cependant accepter un changement contrôlé. Si cette technique vous semble *téteuse* (flagorneuse) ou hypocrite, vous avez un curieux rapport avec les autres. Vous préférez la confrontation à la solution, le risque au calcul.

3e étape : calculer et valider le rendement de la solution

Si votre proposition porte fruit ou, à tout le moins, donne un nouvel élan à la campagne, relevez des indicateurs de performance.

Une histoire vécue

Une superviseure (disons Johanne) note un rendement carrément inacceptable et réunit son équipe. Les collègues et elles proposent des ajustements importants à l'essai pendant une heure, que l'équipe de direction accepte. Le résultat est concluant : la descente aux enfers a ralenti. Le client a noté la compétence de l'équipe d'agents et le professionnalisme des gestionnaires ; la campagne est temporairement suspendue, le temps de revoir les objectifs et le scénario de la campagne. Elle sera reprise plus tard et connaîtra un bon succès.

Vous avez remarqué que l'équipe a pris les devants sans rechigner et sans blâmer les autres. Les gestionnaires ont agi rapidement et le client a compris que le vrai problème était ailleurs que chez les agents d'appels.

4ᵉ étape : remercier les collaborateurs

Un dicton invite à vivre le chagrin seul et le succès, en groupe. Les représentants, entrepreneurs et vendeurs sont certainement les premiers à noter les glissements de stratégies et à ressentir un échec imminent. Vous êtes probablement de ceux qui lancent des solutions pratiques et créatives dans le feu de l'action. C'est à vous que devrait naturellement revenir le bénéfice d'avoir sauvé le navire dans la tempête. Cette version des choses est logique seulement si vous êtes égomaniaque ou si vous êtes un *one man operation* (un travailleur autonome et solitaire).

L'une des meilleures façons de développer votre influence au sein de votre entreprise consiste à partager activement le bénéfice d'un succès, surtout s'il est obtenu contre toute attente. Même si vous avez été l'instigateur et le principal acteur dans la conception et l'implantation de la solution, assurez-vous que vos collaborateurs et gestionnaires partagent le bénéfice du succès. Regardez les choses sous l'angle de l'ambition :

- Vous savez que la solution émane de vous (les autres aussi !).

- Vous avez davantage confiance en vous (les autres aussi !).

- Vous savez que les autres vous en doivent une (eux aussi !).

- Vous savez qu'on vous consultera plus rapidement et qu'on vous écoutera plus attentivement à l'avenir (eux aussi !).

Au lieu de dire	Dire plutôt
Je savais que j'avais raison !	Je savais qu'on pouvait y arriver !
Quand j'ai noté [...] tout est devenu clair...	Quand j'ai entendu Aline dire [...], tout est devenu clair !
Dommage que j'aie été obligé de répéter et d'insister !	Heureusement que vous étiez attentif aux idées des autres !
Si on m'avait consulté plus rapidement...	La prochaine fois, on se parle plus vite et avec le même sérieux !
Le client mandataire ne connaissait pas bien son affaire !	Patron, dites merci au client mandataire d'avoir eu confiance en nous et en son produit !

Conclusion

Cet ouvrage sur la vente par téléphone ne prend pas fin ici ; au contraire, il aura un deuxième souffle si vous relevez au moins trois des défis qui suivent.

Déterminez les sections des chapitres qui vous ont le plus interpellé, puis notez dans votre agenda les semaines au cours desquelles vous vous engagez à appliquer l'une des techniques privilégiées. Choisissez les techniques et tactiques qui vous dérangent et vous forcent à affronter vos habitudes et certitudes. Nous avons tendance à surévaluer nos réflexes, au point d'ignorer de nouveaux principes.

Appliquez chaque technique une dizaine de fois par jour, au minimum, pendant une semaine. Cela vous permettra de les intégrer. La réflexion et la volonté, si utiles soient-elles, ne peuvent, à elles seules, vous donner l'élan requis pour développer de nouvelles compétences. L'exercice est ici la meilleure méthode d'amélioration. Devenez votre propre professeur et soyez attentif au comportement de votre élève, c'est-à-dire vous-même !

Innovez au cours des derniers jours de mise en pratique systématique. À copier de façon trop rigide les techniques suggérées dans ce livre, vous deviendrez tout au plus un excellent imitateur. Cela peut être utile si vous voulez œuvrer dans le show-business, mais pas du tout productif si vous êtes employé, vendeur, entrepreneur ou patron !

Une technique devient efficace lorsque vous la possédez suffisamment bien pour y apporter des variantes et des nuances. Ces petits ajustements subtils peuvent parfois provoquer des éclairs de génie dont vous pourrez, à juste titre, être très fier.

Partagez vos nouvelles compétences au lieu de les garder pour vous. Les meilleurs *performers* sont souvent d'excellents coéquipiers. Ils savent qu'en partageant les nouveaux trucs du métier, ils en sortent gagnants.

- Ils augmentent leur *leadership* dans l'équipe et servent de modèle à leurs collègues débutants.

- Ils deviennent plus influents auprès de leurs superviseurs et patrons.

- Ils développent une réputation d'innovateurs crédibles dont les suggestions sont rapidement mises à l'essai.

- Ils peuvent plus facilement surmonter certains faux pas ou erreurs de parcours, en raison de la générosité professionnelle dont ils font preuve de jour en jour. Leur générosité est en quelque sorte contagieuse.

Prenez conseil auprès de débutants, des jeunes et autres minorités au travail. Mieux encore, aidez-les à présenter et à expliquer leurs idées. Analysez-les avec curiosité, en tenant pour acquis que certaines d'entre elles recèlent un potentiel d'innovation. La meilleure façon de maintenir votre place et votre influence dans l'avenir consiste à travailler avec ceux qui sont déjà en place. Aidez les jeunes à performer. La grande majorité d'entre eux vous respecteront; plusieurs vous admireront.

Bibliographie

Vente par téléphone : 10 étapes du succès, de Julie Freestone, Éditions Presses du management, Collection 50 minutes pour réussir.

La vente par téléphone (3ᵉ édition), de J-Pierre Lehnisch, Éditions Presses universitaires de France (Que sais-je ?).

La communication persuasive, de F. Pirovano, Éditions De Vecchi.

Techniques de vente par téléphone, par James-D Poterfield, Éditions de l'Homme.

Réussir la vente par téléphone : techniques et conseils, de C. Faccioli, Éditions de Vecchi.

La télévente : vendre par téléphone (mettre en place une force), de Erick Bacrie, Éditions Dunod.

L'art de la critique constructive, de H. Weisinger, Éditions Transcontinental.

Les manipulateurs sont parmi nous, de I. Nazare-Aga, Éditions de l'Homme.

Jouer comme un homme, gagner comme une femme, de Gail Evans, Éditions AdA.

Ces gens qui vous empoisonnent l'existence, de Lillian Glass, Éditions de l'Homme.

101 choses que vous savez déjà (mais oubliez sans cesse), d'Ernie Zelinski, Éditions Stanké.

Tirez profit de vos erreurs, de Gérard I. Nierenberg, Éditions de l'Homme.

Créatif de choc, de Roger Von Oech, Éditions Albin Michel et Éditions du Seuil.

L'offre irrésistible, de Georges Vigny, Éditions Transcontinental.

How to make hot cold calls, de Steven J. Schwartz, Éditions Stoddart.

Cold calling techniques (that really work), de Stephan Schiffman, Éditions Schiffman.

Stephan Schiffman's telemarketing, de Stephan Schiffman, Éditions Schiffman.

Selling by phone, de Linda Richardson, Éditions McGraw-Hill.

Présenter mes projets et services avec brio, de Marc Chiasson, Éditions Transcontinental.

Informez-vous de notre liste d'ateliers et de conférences
www.gescomstrategies.com
mchiasson@gescomstrategies.com
1 888 566-2198
ou rendez-vous à :
www.formatout.com

COLLECTION
ENTREPRENDRE

**Les pionniers
de l'entrepreneurship beauceron**
Jean Grandmaison
24,95 $ • 165 pages, 2000

Le management d'événement
Jacques Renaud
24,95 $ • 222 pages, 2000

**Marketing gagnant
2ᵉ édition**
Marc Chiasson
24,95 $ • 262 pages, 1999

**L'aventure unique d'un réseau
de bâtisseurs**
Claude Paquette
24,95 $ • 228 pages, 1999

**Réaliser son projet d'entreprise
(2ᵉ édition)**
Louis Jacques Filion et ses collaborateurs
34,95 $ • 452 pages, 1999

Le coaching d'une équipe de travail
Muriel Drolet
24,95 $ • 188 pages, 1999

**Démarrer et gérer une entreprise
coopérative**
Conseil de la coopération du Québec
24,95 $ • 192 pages, 1999

Les réseaux d'entreprises
Ministère de l'Industrie et du Commerce
9,95 $ • 48 pages, 1999

La gestion du temps
Ministère de l'Industrie et du Commerce
9,95 $ • 48 pages, 1999

La gestion des ressources humaines
Ministère de l'Industrie et du Commerce
9,95 $ • 48 pages, 1999

L'exportation
Ministère de l'Industrie et du Commerce
9,95 $ • 48 pages, 1999

**Comment trouver son idée d'entreprise
(3ᵉ édition)**
Sylvie Laferté
24,95 $ • 220 pages, 1998

Faites le bilan social de votre entreprise
Philippe Béland et Jérôme Piché
21,95 $ • 136 pages, 1998

**Comment bâtir un réseau
de contacts solide**
Lise Cardinal
18,95 $ • 140 pages, 1998

Correspondance d'affaires anglaise
B. Van Coillie-Tremblay, M. Bartlett
et D. Forgues-Michaud
27,95 $ • 400 pages, 1998

Profession : patron
Pierre-Marc Meunier
21,95 $ • 152 pages, 1998

S'associer pour le meilleur et pour le pire
Anne Geneviève Girard
21,95 $ • 136 pages, 1998

L'art de négocier
Ministère de l'Industrie et du Commerce
9,95 $ • 48 pages, 1998

La comptabilité de gestion
Ministère de l'Industrie et du Commerce
9,95 $ • 48 pages, 1998

La gestion financière
Ministère de l'Industrie et du Commerce
9,95 $ • 48 pages, 1998

Le marketing
Ministère de l'Industrie et du Commerce
9,95 $ • 48 pages, 1998

La vente et sa gestion
Ministère de l'Industrie et du Commerce
9,95 $ • 48 pages, 1998

La gestion de la force de vente
Ministère de l'Industrie et du Commerce
9,95 $ • 48 pages, 1998

Le marchandisage
Ministère de l'Industrie et du Commerce
9,95 $ • 48 pages, 1998

La publicité et la promotion
Ministère de l'Industrie et du Commerce
9,95 $ • 48 pages, 1998

La gestion des opérations
Ministère de l'Industrie et du Commerce
9,95 $ • 48 pages, 1998

La gestion des stocks
Ministère de l'Industrie et du Commerce
9,95 $ • 48 pages, 1998

Les mesures légales et la réglementation
Ministère de l'Industrie et du Commerce
9,95 $ • 48 pages, 1998

La sécurité
Ministère de l'Industrie et du Commerce
9,95 $ • 48 pages, 1998

La qualité des services à la clientèle
Ministère de l'Industrie et du Commerce
9,95 $ • 48 pages, 1998

Comment gagner la course à l'exportation
Georges Vigny
27,95 $ • 200 pages, 1997

La révolution du Savoir dans l'entreprise
Fernand Landry
24,95 $ • 168 pages, 1997

**Comment faire un plan
de marketing stratégique**
Pierre Filiatrault
24,95 $ • 200 pages, 1997

**Devenez entrepreneur 2.0
(version sur disquettes)**
Plan d'affaires
Alain Samson
39,95 $ • 4 disquettes, 1997

Profession : travailleur autonome
Sylvie Laferté et Gilles Saint-Pierre
24,95 $ • 272 pages, 1997

Des marchés à conquérir
Guatemala, Salvador, Costa Rica et Panama
Pierre-R. Turcotte
44,95 $ • 360 pages, 1997

La gestion participative
Gérard Perron
24,95 $ • 212 pages, 1997

Comment rédiger son plan d'affaires
André Belley, Louis Dussault, Sylvie Laferté
24,95 $ • 276 pages, 1996

J'ouvre mon commerce de détail
Alain Samson
29,95 $ • 240 pages, 1996

Communiquez ! Négociez ! Vendez !
Alain Samson
24,95 $ • 276 pages, 1996

La formation en entreprise
André Chamberland
21,95 $ • 152 pages, 1995

Profession : vendeur
Jacques Lalande
19,95 $ • 140 pages, 1995

Virage local
Anne Fortin et Paul Prévost
24,95 $ • 275 pages, 1995

Comment gérer son fonds de roulement
Régis Fortin
24,95 $ • 186 pages, 1995

Des marchés à conquérir
Chine, Hong Kong, Taiwan et Singapour
Pierre R. Turcotte
29,95 $ • 300 pages, 1995

De l'idée à l'entreprise
Mel Ziegler, Patricia Ziegler et Bill
Rosenzweig
29,95 $ • 364 pages, 1995

Entreprendre par le jeu
Pierre Corbeil
19,95 $ • 160 pages, 1995

Donnez du PEP à vos réunions
Rémy Gagné et Jean-Louis Langevin
19,95 $ • 128 pages, 1995

Faites sonner la caisse !!!
Alain Samson
24,95 $ • 216 pages, 1995

En affaires à la maison
Yvan Dubuc et Brigitte Van Coillie-Tremblay
26,95 $ • 344 pages, 1994

Le marketing et la PME
Serge Carrier
29,95 $ • 346 pages, 1994

**Votre PME et le droit
(2ᵉ édition)**
Michel A. Solis
19,95 $ • 136 pages, 1994

**Mettre de l'ordre dans
l'entreprise familiale**
Yvon G. Perreault
19,95 $ • 128 pages, 1994

Famille en affaires
Alain Samson en collaboration avec Paul
Dell'Aniello
24,95 $ • 192 pages, 1994

Profession : entrepreneur
Yvon Gasse et Aline D'Amours
19,95 $ • 140 pages, 1993

Entrepreneurship et développement local
Paul Prévost
24,95 $ • 200 pages, 1993

L'entreprise familiale
(2ᵉ édition)
Yvon G. Perreault
24,95 $ • 292 pages, 199

Le crédit en entreprise
Pierre A. Douville
19,95 $ • 140 pages, 1993

La passion du client
Yvan Dubuc
24,95 $ • 210 pages, 1993

Entrepreneurship technologique
Roger A. Blais et Jean-MarieToulouse
29,95 $ • 416 pages, 1992

Devenez entrepreneur
(2ᵉ édition)
Paul-A. Fortin
27,95 $ • 360 pages, 1992

Correspondance d'affaires
Brigitte Van Coillie-Tremblay, Micheline
Bartlett et Diane Forgues-Michaud
24,95 $ • 268 pages, 1991

IMPRESSION
IMPRIMERIE GAGNÉ